人文阅读与收藏·良友文学丛书

舒乙题

原丛书主编：赵家璧

特邀顾问：舒　乙　赵修慧　赵修义　赵修礼　于润琦

出 品 人：马连弟
监　　制：李晓琤
执　　行：张娟平
统　　筹：吴　晞　姚　兰
装帧设计：赵泽阳

特别鸣谢（按姓氏笔画排列）：
韦　韬　叶永和　李小林　沈龙朱　陈小滢　杨子耘
张　章　周　雯　周吉仲　舒　乙　蒋祖林　施　莲
姚　昕　俞昌实　钟　蕻　郑延顺　赵修慧
以及在版权联系过程中尚未联系到的作者或家属

特别鸣谢：
上海鲁迅纪念馆
北京鲁迅博物馆
北京大学中国语言文学系
复旦大学中国语言文学系
中国作家协会权益保障委员会

人文阅读与收藏·良友文学丛书

善女人行品

施蛰存 著

中国国际广播出版社

良友版《善女人行品》平装本封面

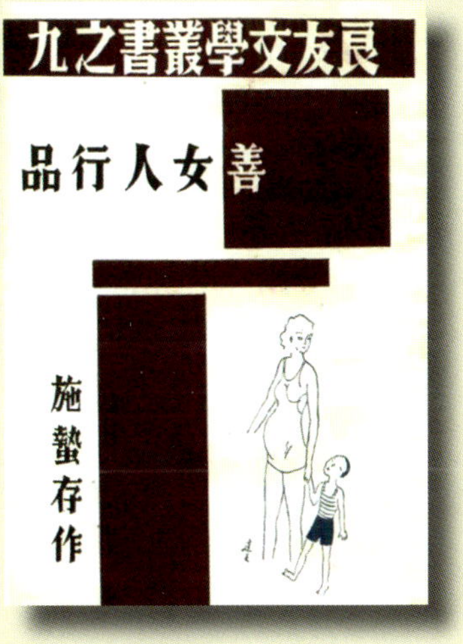

良友版《善女人行品》环衬页

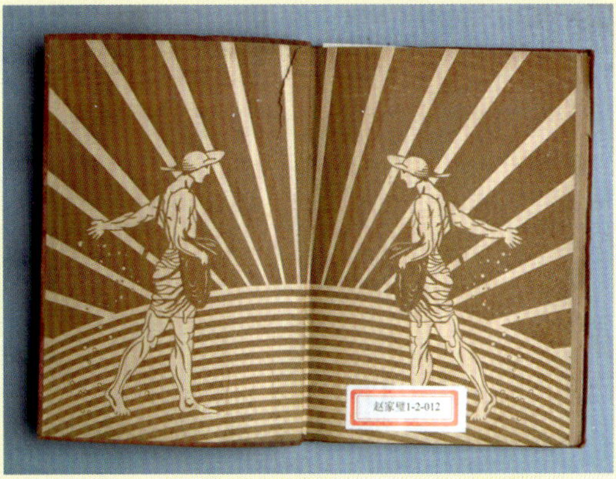

良友版《善女人行品》编号页

良友版《善女人行品》扉页

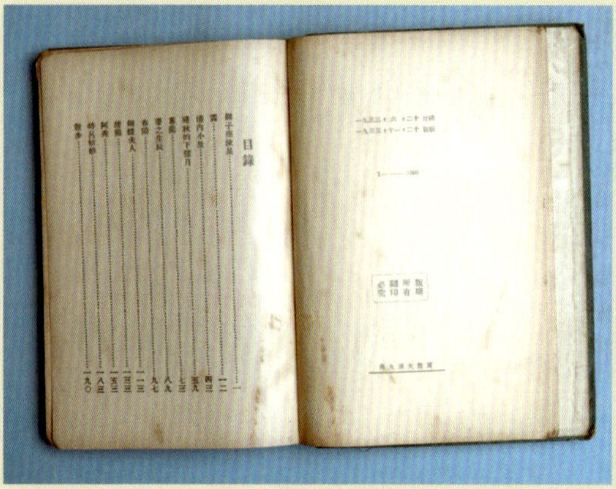

良友版《善女人行品》版权页和目录页

良友版《善女人行品》内文

《良友文学丛书》新版出版说明

二十世纪三四十年代，著名编辑赵家璧在上海良友图书公司老板伍联德的支持下，历经十余年，陆续出版《良友文学丛书》，计四十余种。其中三十九种在上海出版，各书循序编号，后出几种则无。该套丛书以收入当时左翼及进步作家的作品为主，也选入其他各派作家作品。其中小说居多，兼及散文和文艺论著；第一号是鲁迅的译作《竖琴》。丛书一律软布面精装（亦有平装普及本），外加彩印封套，书页选用米色道林纸，售价均为大洋九角。

《良友文学丛书》选目精良，在现在看来，皆为名家名作；布面精装的装帧更是被许多爱书人誉为“有型有款”。不可否认，在装帧设计日益进步的当下，这套出版于二十世纪三四十年代的丛书外形已难称书中翘楚，但因岁月洗汰，人为毁弃，这套曾在出版史上一度“金碧辉煌”过的丛书首版已然成为新文学极其珍贵的稀见“善本”。

在《良友文学丛书》首版八十周年之际，为满足现代普通读者和图书馆对该丛书阅读与收藏的需求，我们依据《良友文学丛书》旧版进行再版（四种特大本不在其列）。本着尊重旧版原貌的原则，仅对旧版中失校之处予以订正。新版《良友文学丛书》采用简体横排的形式，以旧版书影做插图，装帧力求保持旧版风格，又满足当下读者的审美趣味。希望这一出版活动对缅怀中国出版前辈们的历史功绩和传承中国文化有所裨益，也希望广大读者多提宝贵意见和建议，以便我们把日后的工作做得更好。

《良友文学丛书》新版校订说明

一、本丛书收录原良友图书公司编辑赵家璧主编《良友文学丛书》共四十六种（四种特大本不在其列），乃为目前发现且确系良友版之全部。

二、此番印行各书，均选择《良友文学丛书》旧版作为底本，编辑内容等一律保持原貌，未予改窜删削。

三、所做校订工作，限于以下各项：

（1）将繁体字改为简体字；

（2）原作注释完全保留；

（3）尽量搜求多种印本等资料进行校勘，并对显系排印失校者在编辑中酌予订正；

（4）前后字词用法不一致处，一般不做统一纠正；

（5）给正文中提到的书籍和文章及其他作品标上书名号，原作书名写法不规范、不便添加符号者，容有空缺；

（6）书名号以外其他标点符号用法，多依从作者习惯，除个别明显排印有误者外均未予改动。

序

这还是去年年尾的事，担任良友图书公司编辑的赵家璧兄正在计划着一种文艺丛书，希望我也能供给他一个短篇集。我因为自己正在想写几篇完全研究女人心理及行为的小说，除了已经有的几篇之外，倘若再写五六篇，就有编成一个集子的可能，因此就把“善女人行品”这书名交给他刊在广告中了。

我是预备至多两个月的时间写这几篇预计中的小说的，所以编者就安排将我的这本书放在本年三四月间出版。但是，不幸为了种种旁务的纠累，我一直没有写小说的勇气与心绪。在断断续续的勉强的努力中，在编者的催索之下，才得在今天将预计着的那几篇东西写毕，并且使本书能够形成。

本书一共包含十一个短篇，写作的时间，最早的一篇是一九三〇年一月，最近的是一九三三年十一月，差不多占了四年。在这四年中间，我曾经写了些别的短篇，它们都已分别编在我的前三个短篇集中了。在这四年中，我写短篇的方法，似乎也有一些变化，就是在本书的各篇中，读者也许会看出它们是有着不同调的地方来，但是因为本书各篇中所被描绘的女性，几乎可以说都是我近年来所看见的典型，虽然在不同的季节，不同的笔调之下，但是把它们作为我的一组女体习作绘，在这个意义中，它们仍然可以有编在一集中的和谐性的。

一九三三年十一月十六日

施蛰存自记

目　次

狮子座流星

卓佩珊夫人在一路公共汽车中坐定了，脸上还觉得发烧。她自己也不相信竟会得有这样的胆量，到底去请教了吴瑞书医生。可是这有什么用？吴瑞书医生帮助了她什么没有？还不是和她底那个学产科的旧同学陈小姐所说的话一样？她怀疑吴医生会不会在她走了之后暗笑她："一个无事忙的性急的太太。"

但是她决不承认她是"无事忙"。医生的说话未必全是对的。前个月，大阿姨的女儿三囡项颈边生了两颗栗子头，去看一个东洋留学的医生，叫做张廷……廷什么的，他怎么说？他说是梅毒。那有这种事情，人家规规矩矩的黄花少女？后来到底，可真巧，碰着了一个乡下出来的郎中，一服草头药，就消了下去。不过，不过……卓佩珊夫人又怀疑起来了，吴瑞书医生是德国汉堡大学的医学博士，妇科皮肤病科专家，是的，她已经把广告念得很熟了。医生不是要算德国回来的最靠得住吗？

她一想起刚才吴医生替她诊治的情形，脸上发烧得更凶了。医生总有那么样一副正经面孔，这倒反而难受。当种种考察都施行过之后，他皱着眉头，“很好，很好，一点没有毛病，完全健康。”他后来又怎么说？那是什么意思？“几时顶好请你们密司特……”他还没有晓得他底姓，我告诉他，“……哦，密司特韩也来检查一下。”难道他会有什么……？也许，也许……大块头有关系。倒忘了，没有问，大块头有关系没。

三年前结婚的时候，他还没有这么胖。她很记得，那时候他们还常常一块儿去跳舞，她还会得很活溜地跳却尔司登。可是，这两年来他真胖得快，人家说：“财发体发”，真的，一升做主任就胖起来了。可没想到胖了也有坏处。以后应当少给他吃肥的，多吃些盐。不过，这也没有一定，住在我们后弄的那安徽人却生了三个儿子，白胖得跟他们爸爸一个样，那又怎么说？

这当儿，车驶下外白渡桥，沿着黄浦滩一直溜过去。软软的座垫显着怪柔和，怪舒服。光陆大戏院屋顶上的那个上海电力公司的年虹光大招牌，就好像一只有劲的大手掌，想把从邮政局钟楼上边射过来的夕阳挡住了。可是那里挡得住，这黄金的光终究穿透了她坐着的车，一直爬上浦东的一排堆栈的高墙。

车里还有两个外国女人和一个中国女人，都跟她差不多年纪。一个外国女人还带着一个女孩子，穿着毛茸茸的黄颜色的羊毛衫裤，活像一个玩具里的猢狲。她们都好像给夕阳光烧炙着，脸红红的透露着一股春意。从黄浦江上吹来了一阵晚风，她们都好像觉得很舒服，那个中国女人甚至把大衣领头翻下来，让风吹进她底胸衣。可是她，卓佩珊夫人，却觉得冷，冷得皮肤都粟了。这就显见得她身体坏，医生没有看出，可是她自己觉得。秋天，多坏的天气！一到秋天，身体就支持不住了。她把大衣裹了裹紧，咒诅着这天气，但眼睛却无意中又瞅着那伶俐的小猢狲。

车停在沙逊房子前面，各色各样的人挤进来了。一个面目黎黑的外国人来坐在她旁边，把她一直挤紧在角落里。但是这外国人没有坐定，就立起来让给一个很美丽的，穿着一件网纹绒线衫的外国女人了。她这一旁的座位上，除了她，差不多全给外国女人占据去。这些都是大公司里的女职员。好福气啊，她们身体这样好，耐得了整天的辛苦。可是，难道她们都没有孩子的吗？

车还没有开动。卖报人不但嘈杂地高叫着，并且还把报纸从车窗里乱塞进来，擦着每一个乘客底肩背或脸。她回过头去，一张报纸晃动在她眼睛前，一个沙嗄的声音："刚刚出版格号外《时报》。"她摇摇头。一个老枪闪了过去。扶梯底下的报纸该卖掉了，已经堆不下了。这几个月的报纸真冤枉，简直都没有看。最好能够单定一张本埠增刊，翻翻戏报就够了。……不过，也难，大廉价的广告又都登在第一张。……看广告常常容易上当，多花费，今天早上要是不看见这医生的大广告，这一趟也就省掉了。呃，明天准定叫阿蓉回了。……再不然，就定一份便宜点的，横竖有大事情的时候好再定。

卓佩珊夫人正在打算节省一点报费的时候，一个锐利的孩子声突然在她耳朵边嚷着：

——阿要看，今朝夜里，扫帚星出现！

扫帚星，她记得好久没听到过这名字了。她没有看见过这颗星，但是她晓得这不是颗好星宿，因为她小时候，妈妈宠了她，嫂嫂就在厨房里说她的背话，骂她扫帚星了。

——难得看见，三十三年一转！

嘹喨的叫嚷又在她耳朵边响着，于是站在她前面的那个围着白丝巾的男子，从她肩膀上伸出一只手去，以两个铜元换来了一张报纸。

车开动了。她才注意到有许多人买了报纸。《时报》，《大晚报》，《新夜报》，还有英文的晚报。这些人是不是都预备看扫帚星的？这是不是像月蚀一样的东西？是一颗很大的像扫帚一样星呢，还是许多星排成一柄扫帚的样儿？今天晚上，人家会不会敲锣放炮呢，像前年月蚀的时候那样？她这样怀疑着。

她耐心地等待着前面的那个男子把报纸翻过来，当他看别的新闻纪事的时候，她可以偷瞧见关于扫帚星的新闻。究竟怎么说着？可是车好像已行过了两三站路，他还没有看完一版新闻。太慢了！这个人真够笨，看这样一张报还得费这许多时候。她顺眼看别的人，有的正在翻看后幅的新闻，有的已经看完了，把报纸折起来塞在衣袋里。她开始后悔刚才不自己买一张。但是，女人在车上买报纸看，这倒好像是稀有的事，她似乎并没有看见过先例。

于是车停在永安公司门前了。他才移动了手中的报纸，但并不翻过后幅来，他把报纸匆急地折拢来，挟在腋下，回头一望，在人群中一阵子乱挤，下车去了。她觉得好像被侮辱了，有些不便出声的骂人话从她心里涌上来。各种各样的晚报的叫卖声，依然在她耳朵里响着：

——要看豪燥，《大晚报》，《号外时报》！

但她没有从手皮包里取出铜元来的勇气。车中人愈挤得多，旁边的那个穿网纹绒线衫的外国女人不住的挨过来。前面立着一个看上去很整洁的年青人——其实这男子和她是年纪相仿的，可是她并不以为如此，她以为他是一个美丽的年轻人。他给旁边和后面的人，随着车身的簸动而推挤着，使他底腿屡次贴上了她底膝盖。为了要维持他底礼貌，虽然她并不闪避——她底膝盖能闪避到那里去呢？他不得不以一只手支撑着车窗上的横木，努力抵御着旁边人的推挤。她看得出他是很累的，因为他蹙着眉头，两个脸颊涨得通红了。她想对他说，不必这样地讲规矩，即使他底腿稍微——不，甚至是完全，那也有什么关系呢？——贴上了她底腿和膝盖，她也原谅他的。但是，她真的可以这样说吗？

于是她想起了丈夫，身体一胖连礼貌也没有了。为什么他这样地粗鲁呢，全不懂得怎样体贴人家？她一件一件地回想，一直想到昨天晚上他吃牛排时候的那种蠢态。她曾开玩笑似地骂他一声“猪猡”，可是他也不恼，只晃着脑袋笑，活像那个！天下的人真有那样的！也许，这又得想回头了，也许这些全是假的？也许他算是赔小心眼儿给我？要不然，难道他在行里做主任，也就是那样一副傻气吗？不会的，不会的，他不是傻子！

可是，为什么要假装着这样？我并不欢喜。我要他严肃一点，文雅一点。是的，文雅得像这个年轻人一样。卓佩珊夫人抬起头来，这文雅的年轻人正在用文雅的眼睛注视着她底鬈曲的美发。在这样凝静的注视中，她看得出充满了悦意和惊异。她不禁伸手去拂掠这新近电烫过的青丝。

在薄暮的静安寺路上，公共汽车以最快的速度驶行着，一会儿就停在西摩路口了。卓佩珊夫人从那年青人底腋下钻出来，下了车，她觉得筋骨骤然地轻松了，可是冷气跟着直望里钻。她换了口气，裹紧了大衣急忙走，好像还有许多冷气在后边追上来。

走进里门，那管门巡捕和王公馆里的丫鬟又在一块儿说笑。这是谁说的，他们俩近来很有些意思？她沉思着，随即就想起这是阿蓉说的。阿蓉白天闲着没有事，专喜欢打听里巷间种种琐屑新闻，一到晚上，就啰啰苏苏地来告诉了。王公馆里的丫鬟，她是看见过的，身段儿和相貌都还不错，只是有些呆气。可是那管门巡捕呢？她好久就想留心着，但进出里门的时候，不是没看见，便是忘了。今天一看见那个丫鬟，阿蓉告诉她的话都想起来了。她不禁向那管门巡捕看了一眼。是个结实的小伙子，也并不讨厌。她这样想。

——你看不得，看了要生小娃娃。

卓佩珊夫人才走过，就听见背后的那管门巡捕这样说。这话够多么奇怪，又透着狎亵！要不是她心里正在希望一个小娃娃，她一定会格外走得快些的。她不晓得他们正在说些什么话。看什么东西？她觉得脸上一阵子热，可是她还得回过头去看一看。那王公馆里的丫鬟正在举起一只脚，踢着他底脚胫：

——死鬼，没得好话！看天上的星有什么啦！

星？看天上的星？什么星？卓佩珊夫人立刻就想起了今天晚报上登载着的新闻。“阿要看，今朝夜里，扫帚星出现！”卖报人底叫嚷又在她耳朵里鸣响了。可是，那巡捕怎么说？那又是什么意思？她怀疑着，不觉已走到了门口。

走进后门，阿蓉正在厨房里做菜。

——阿蓉，拿几个铜板去，巷口去买一份夜报。

她从皮包里取出几个铜元来给了女仆，一张公共汽车票给带了出来，飘落在地上。她走进客厅，丈夫正静坐在圈椅里，喷着烟。他真像一个等候主人的来客。

——怎么，不是去买东西？

丈夫从烟雾中问。

——买东西？谁对你说我去买东西？

丈夫给问住了，呆看着她，一时回答不上来。她觉得他可笑。可是他还想辩：

——我想你出去总是买东西。噢，不错，我以为你到惠罗公司去买那块窗帘去了。

她微哂着，做着 Hula 舞的姿态，旋转身，像射放到月球里去的火箭一般，奔上了楼梯。

以后的十分钟间。他在楼下抽烟，从烟圈中揣测着当日买进的一千五百金磅的前途。她在楼上抽烟，从烟圈中看夜报上登载着的关于狮子座流星群的纪事。

一先令九便士六二五，正二月份，六八七五，哦，麦加利吃三月一先令九便士七五，花旗吃十二月五六二……汇丰……卖出？……英法要求停付美债。靠不住。美国一定拒绝，……而且……若使法郎英镑折美金算，难说……但是楼上地板给小鞋跟清脆地叩响了。

——大块头，大块头，来！

一听见太太的召唤，华夏银行的国际汇兑部主任韩先生就从他的圈椅里站起来，两指间夹着一个已经熏到指甲的雪茄烟蒂头，蹒跚着上楼了。

她将一张晚报递给他，指着一条新闻：

——你看，狮子座流星可就是扫帚星？

他不做声，鼻子里哼着，接了那张晚报，在她旁边坐下了。但是他虽然把这节新闻纪事看完了，也还没有十分明白。他觉得不能再耽搁回答她的时间了：

——我也不晓得，大概……

忽然他注意到一堆雪茄烟灰堕在他膝上。他随手把那个残余的烟头丢在沙发椅旁的痰盂里，一边拍拂着烟灰，一边却想出了下文：

——大概流星是在天上飞过的，所以说要看的人留心，从下半夜两点钟看到四五点钟，东南方。像正月里放花筒的流星一样的东西，喔，不错，就是六月里晚上看见的星游河，对了，对了，就是星游河。

他很高兴地拍着大腿。他以为他已经替他底太太解答了一个疑问。这使她很失望，她等了半天，只听他解说了一个流星。

——那么可就是扫帚星呢？她还问。

——扫帚星？就是扫帚星？……不知道。

他搔着头皮，头垢纷纷落下在肩膀上。这时候，阿蓉在扶梯底下请用饭了。他就好像得救了似地催促着她：

"吃饭吃饭吃饭，"先跨着大步下楼了。

吃夜饭的时候，她和他对坐着。他在沉思着他底金磅市面，而她在纳闷着流星到底是否扫帚星这问题。只有那管门巡捕晓得的。他一定很明白。但怎样可以去问他呢？喂，你说，今天晚报上登着的什么狮子流星，是不是就是扫帚星哪？还有，还有你刚才对王公馆里的那丫鬟说的……你怎么说，看了要怎么的哪？但是，怎样可以去问他呢？他会得当我是怎样的女人？

但是，那卖报人不是嚷着吗，扫帚星，今天晚上？就算它不是，也不要紧，那管门巡捕没有说，王公馆里的丫鬟也没有说是扫帚星哪。她说看看天上的星，这是指的什么，不就是说报纸上登着的什么狮子流星吗？

她将碗饭授给阿蓉盛饭的时候，才想起她有一个顶好的顾问在旁边：

——阿蓉，半夜里看扫帚星。

——扫帚星，谁说？

——报纸上登着，今天下半夜有狮子座流星。你知道吗，什么叫作狮子座流星？

——狮子座……流星？哦，流星，流星就是星游河，不是扫帚星，扫帚星是像一把扫帚那样的。

流星就是星游河，这和丈夫的说数相同，大概是不会错的。流星不是扫帚星，她说得很肯定，而且阿蓉是一向不说靠不住的话的，那么大概也是不错的，但是

——看得吗，这种星宿？

——看得，看了好的。你一看见，就穿一只针，眼睛到老不会花的。

但是她并不希望阿蓉这样回答。

九点钟，是丈夫照例睡觉的时候，她提出一个办法：

——今夜把床移在窗口睡。

——为什么，发痴？丈夫睁着惊异的眼睛问。

——看流星呀，我要看。

她开着小桌上的闹钟，让它在两点钟时响起来。丈夫看看窗，又看看床，半晌没有话。

——冷，什么好看？他终于这样说。

——冷？玻璃窗关紧着，那里会冷，你不高兴，你就睡在床上，让我把沙发搬过来睡。

太太一赌气，和善的丈夫就只得把双手插在衣袋里，把鞋底微擦着地板。于是她过去推动那床。她回头对他一望，于是他去帮助她。

床横在窗前，她就躺下去。稍微侧转了头，她看见一规下弦的霜月和一角繁星的天。

丈夫底鼾声几乎要震动了窗上的玻璃，她还醒着，虽然她自己很想早些睡熟。她怀疑报纸上的记事是否确实？今天晚上有没有流星？还有，一个最大的疑问，看见了这星，究竟能不能……正如那个管门巡捕所说的那样？迷信，这也许仅仅是一种迷信，她有些自己失笑起来。可是，一方面，明知道这是下半夜的事，她还是在室内的幽暗中凝视着窗外的繁星。她想早一些认出它们之中那一颗是要流逝的。

她听见楼下的钟敲十下，十一下，但没有听见敲十二下。

耳朵边一阵震惊，她醒了。两点钟。

她揉着眼睛，第一就看窗外的天。月已经升到屋顶上去，看不见；星还是在闪烁，但没有流。丈夫还是在鼾声雷动，他好像连身子都没有动过。这样好睡，倒下头来就像牛一样。那个医生要他去检验。难道这都是因为他有毛病么？从来没有听说他有什么毛病，他连小寒热都不曾发过。他会有什么隐病吗？卓佩珊夫人心里这样设想，但眼睛依然对着玻璃窗外的天看着。

似乎是好久了。流星呢？还没有看见。她从被窝中伸出手来，肘子碰着了丈夫底肩膀，她觉得好像被石子撞了一下。她揿一下床边的电纽，灯明了。她看桌上的钟，还只有两点三十分。随即又熄了灯，再看着窗外的天，她恐怕当她偶尔眼看别处的时候，那些星悄悄地都流过了。

她渐渐地感觉到寂静。是的，午夜之后的秋天，不是很寂静的吗？她试着用肘子去推丈夫。费了很大的努力，她听见他那两片厚实的嘴唇咂响着，身子蠕动起来了。

——喂，醒醒，醒醒！

她悄悄地说，但他在朦胧中只哼着鼻子：

——嗯，嗯，嗯？

——看流星，喂！看星呀。

——嗯，有了？看见了没有？

——还没有。

丈夫蒙着被头笑起来，重新翻了个身！

——发痴！睡罢。

真的，他底鼾声渐渐地又响起来了。

卓佩珊夫人侧睡着，两个肩膀裹在绵被里，只露出了头。眼睛在黑暗中凝视着，她自己觉得正如一只窥伺着鼠子的狸猫。

但是，她底眼皮慢慢地重起来，即使她相信听见敲三点钟，可是她底睡熟，离四点钟一定还是很远很远的。

她看见了：一颗庞大的星，像扫帚一样的三角形，在窗外的天上飞行着。星光照耀得比月还明亮，街道上好像白昼一般了。人都站立着，在衖口，在马路上，在车中——是的，公共汽车都停止了，大家抬着头看这奇怪的星。那管门巡捕和王公馆里的丫鬟也在看。还有，站在永安公司门前的，那个人，那个同车过的年轻人也在看，他还带着一个女子。一回头，丈夫呢？她看不见了她底丈夫。一定是人多挤散了，她觉得仓皇起来。她在人丛中乱攒，想寻找她底丈夫。心里真是气恼，大块头总是太呆笨，会得给人家挤开去。

这时，忽然她听见人们轰嚷着，好像有什么危险的事情发生了。她一抬头，看见那颗发着幻异的光芒的星在飞下来了，很快地飞，一直望她窗口里飞进来。她害怕了，但是她木立着；她觉得不能动弹，眼前闪着强度的光，一个大声炸响着，这怪星投在她身上了。

于是，阿蓉第一个进来，她说："少奶奶恭喜。"她觉得很快活。她不禁用手去抚摩她底腹部，手一动，她觉得一阵的冷。

睁开眼，刚对着朝日的光芒。丈夫已经起身了，半床被斜拖着，冷气直钻进来。丈夫正在梳头发，一个象牙梳掉落在地上，可是他懒得拾，从抽屉里去取第二个了。

卓佩珊夫人定了定神，打定了主意：

——今天夜里再看。

雾

素贞小姐从小就亡故了母亲，她是在父亲的抚育和教导之下长成的。她父亲是一个基督教里的神父，在这临海的小卫城里管理一所小教堂，已经有十四年了。素贞小姐识得字，能够看书，但并不曾进过学校。这小小的卫城中所住着的只有三五百渔户，没有学校，也许她父亲的教堂便是唯一的学校了。但是素贞小姐底造诣很可惊，她已经能够以父亲所教授给她的，反过来替父亲草拟每星期的教义演辞了。她底智识学问的来源，大半是她父亲底几百卷旧书，其余就是每日下午由进城的贩鱼船带回来的隔了两日的上海报纸，以及她底在上海的表姊妹们偶然想起而寄给她的书籍。

她父亲是个守旧的人。但是中国神父并没有外国神父那样的律己森严。你知道，外国神父是被禁止看恋爱小说的，但是在素贞小姐底父亲底藏书中，却还有着《西厢记》那样的东西。素贞小姐自从发现了她自己有读书的能力以来，就开始沉浸于她父亲的书籍中，一直到现在，还有几卷书是她不厌百回读的。

素贞小姐爱好修饰，而且有坚强的自信——她自信是一个典型的多情的佳人，不，照近来她所学会的术语说起来，恐怕应当说是浪漫的小姐吧，但这些都不能说是社会的风尚所影响于她的。这个，就是拿旗袍来讲，也就可以证明了。九年前，她底表姊从上海来探望她的时候，穿着新流行的旗袍，但她正和她父亲一样地不能接受。她还衷心地批评这种服装是太近于妖异了。直到后来，有几个小康的渔妇都穿着旗袍来做礼拜，她承认了自己底失败，托人到距离三十余里的城里去买了一块旗袍料来。至于她底发辫，也是在同样的情形中剪了的。所以，从这方面看起来，素贞小姐虽则爱修饰，虽则自以为很有点浪漫性，可是她实际上还和她父亲一样，是个守旧的人物。

倘若以相貌而论呢，素贞小姐实在并不比我们都会里的漂亮小姐有多大的逊色。这同时也就是她所以敢于爱好修饰，敢于坚强地自信的惟一的理由。人家都没有看见过素贞小姐底母亲，便都说她是天生的丽质。她自己常常揽镜自鉴，当然，她也早已忘记了她底母亲，便也这样地自信了。只有她底父亲，随着素贞小姐年龄之长大，而愈加深了他对于亡妻的回忆。想想自己底命运多乖，永远做着一个村庄里的小神父，想想美貌的妻子底早死，这老态龙钟的神父便愈加珍惜他底掌珠，而切盼她嫁一个如意郎君了。

嫁一个如意郎君，是的，关于婚姻问题，素贞小姐她自己也和她父亲一样地固执着一个信仰。父亲是为了不愿意她将来如她母亲一样地过一种艰苦的生活，所以千难万难地在给她物色一个有希望的快婿；素贞小姐呢，因为对于自己有了多才多貌的确信，也就给她理想中的丈夫定下了一个严格的标准。

在一眼看出去都是渔人的环境里，除了浪漫史中所描写的白面状元郎之外，她还能想像出什么别的惬心丈夫来呢？所以她希望着的是一个能做诗，做文章，能说体己的谐话，还能够赏月和饮酒的美男子。但是这样的丈夫从没有在她所住着的小卫城里出现过，于是素贞小姐从情窦初开的十五六岁蹉跎到今年了。

今年的素贞小姐是二十八岁！

在十六七岁的时候，老年的渔妇在做完了礼拜走出教堂门时，碰见了她父亲，总会得由于偶然的高兴问一声："素贞小姐还没有攀亲吗？"那时候她感觉到很羞涩。后来，二十岁了，当那些渔妇问起同样的话来，她感觉到很愉快和光辉了。但是，真的，时光过得太快哪，她已经二十五岁了。她听见了关于她底亲事的问话，就感觉到一阵忧郁。现在呢，现在二十八岁了哪，她已经好久不听见这种问话了。

她伤心吗？并不。她常常在报纸上看到种种不幸的婚姻的结局。她晓得一个女子底下半世的幸福，是建筑在结婚这事情上面的。与其遇人不淑，是毋宁不出嫁的。此外，她底大表姊底离婚，也给了她更深切的安慰。她有两个表姊和两个表妹，是母舅底女儿。母舅在上海做大学教授，全家都住在上海。自从九年前两个表姊和一个表妹来探望了她们一回之后，她连接着平均每两年半收到一个表姊的结婚请柬。在接到两个表姊的喜讯的时候，她的确曾经感觉过很深的悒郁，可是自从去年同时接到大表妹的订婚卡和大表姊寄来的很悲惨地述说她的离婚经过的那封信之后，她就宁静下来，相信自己的底固执是有利无害的。

但是，在这个小卫城中，她底可能的出路，不管她底理想如何，事实上只有两途：不是嫁给一个渔人，就是以老处女终其生。这是她完全勘破了的。她很懊悔前几年的那种梦想，以为也许会有什么好姻缘在这小城里成就，以至于一直蹉跎到如今。

她父亲也很明白了这种障碍，所以早就写信给她母舅，托他在上海留心。但是，你知道，都会里的人是很怕替内地女子做媒的，于是这事情在她舅父看来，虽然急迫，也是爱莫能助的了。及至她表姊离婚以后，她父亲便不敢信托她舅父了，于是信上也不再提起这些话。

在接到大表妹结婚请柬这晚上，父亲偶然慨叹地说起两个表姊结婚都没有人去贺喜，真是失礼的事。接着又诅咒自己筋骨底衰老，什么都懒得动。于是素贞小姐忽然打定了一个秘密的主意。她向父亲请得了同意，让她以给大表妹贺喜的名义，顺便到上海去旅行一次。他父亲先期寄了一个信给她舅父，在约定的时日，请她底表姊妹在徐家汇车站等候她——因为她舅父是住在徐家汇的，另外，她父亲又托了一个熟人伴送她坐划船到城里去搭火车。

所以现在素贞小姐是在到上海去的火车上了。车厢里乘客并不多，她占据了一个临窗的座位。她兴致很好，觉得就是车的颠簸也是最舒服的。她看着车窗外的风景，注意着每一次停车的站名。因为她很羞涩，不习惯在许多不相识的人群中，所以她很少回过头来注意同车的乘客。但是，当车行过五六站之后，已是将近夕暮了，火车钻进了一重很深的浓雾里，使她不能再看出窗外的风景。

这是使她不得不回过头来的原因。她很庄重地俯着头，以车的颠簸为摇篮，而沉入于幻梦中去了。不知过了多少时候，她突然觉得身体一震，接着便是一个奇怪的寂静，她抬起头来，才觉得车已停止了。

她看窗外，还是浓雾笼罩着的田野，并没有站。车厢里的乘客都骚乱起来，庞杂的声音，互相问着火车突然中途停止的原因，但谁也不能回答。她也有些惊疑，因为她从来没有过这种经验。

但这事件使她暂时忘掉了羞涩和拘束，敢于向同车的乘客注视了。她最先注意到的是坐在她对面的那个青年绅士，他很不在意似的还在静静地看书。她一眼就觉得他是一个很可亲的男子，柔和的容颜，整洁的服饰，和温文的举动——这是从他把手中执着的书放下来这姿势上就可以看得出来的。书放下在他腿边，她偷瞧一眼，书面上印着一个很熟悉的书名，但总之是一本什么诗集。诗，他是在看诗。这就引起了素贞小姐底更深切的注意，她再冒着险看他一眼，于是她给自己私拟着的理想丈夫的标准发现了一个完全吻合的实体。

她觉得本能的地脸热了。她移转眼光，去看几个坐在较远的女客人。她们穿着的旗袍，袖子短得几乎像一件背心了，袒露着大半支手臂，不觉得害羞吗？况且现在已是秋天，不觉得冷吗？她这样思想着，不禁抚摸着自己底长到手背的衣袖。

一个男子在与一个隔座的女客谈话了。他们说些什么话呢，显得这样亲热？不像是一对结婚的伴侣吧，这女客人为什么脸红红的？

于是素贞小姐觉得心仿佛要跳出来了。

对面的那个青年绅士在频频地看着她。是的，一种很大胆的看法。以全身的精神凝聚在眼睛里的审察，好像从她底脸上和身上发现了什么值得注意的东西。在心底怔忡稍微安定了一会儿之后，素贞小姐忽然经验到了一种从来没有感觉到的光荣。她后悔没有带一面镜子在她底小皮箱里，否则她可以立刻拿出来照一照，她相信她底容貌一定不至于告诉人家她今年已经有二十八岁的。一斜眼，旁边座位上那个半老的妇人正在揭开她底钱袋，照着里面的一个小镜子，擦鼻子边的粉屑。到上海之后，我也得买一个这样的钱袋，素贞小姐这样打算。或者，她肯先借给我用用吗？

对于一种没来由的社交，或者直截了当地说，自由恋爱，素贞小姐是一向反对的。但是因为年龄之增长，素贞小姐渐渐地觉得这是可以有例外的。譬如……就像现在的情形，假如这位青年绅士竟和她谈话起来，甚至对她说明白了他是在爱她，她想这一定是没有反对的理由的。

但是他并没有想和她谈话的表示，虽然她已经一切都预备好了。火车放着尖锐的汽笛，蠕蠕地开动了。她看看窗外，白茫茫的雾气中透露着暝色，从窗缝间吹进来的风使她觉得冷了。

诗，文章，说体己的谐话，赏月饮酒的美丈夫，这些概念随着车轮在素贞小姐心中辗过，她没有觉得捎在钮扣间的手巾卸落在地板上。

于是诚实的青年绅士俯下去替她拾起了手巾。他没有说话，以眼睛示意，带着一点微笑，将手巾授给她，

不，没有等她伸出手来接取，他将手巾轻轻地放在她膝上了。这是出于素贞小姐意外的动作，她有点仓皇了。她颤抖地接连着说

——谢谢你，谢谢你。

的时候，已经在十秒钟之后了。但这是她一生的大纪念，因为这是她向一个陌生男子所曾说过的第一句话。

一边捎手巾，一边她就预备着听他的答话。可是手巾捎好，还听不到一个等候着的声音。眼睛一溜，她看见他嘴唇确然在动，但是话——没有冲出来。

她觉得发笑，又不耐烦。男子是那么样的怪东西，做事情总不爽快，她才想起传奇上总是小姐吩咐丫鬟或老妈子去私约公子在后花园相会的情节来。她望窗外一看，一片黯淡的灰色。与这青年绅士并排坐着的是一个乡下人，他刚才打完了一个呵欠，眼睛瞅着她。素贞小姐一回头，和他打了个照面，她就想出一个主意来。她冲着他问：

——新龙华过了未？

可是她底眼睛却望着那青年绅士，这意思是我问的你。绅士当然不是蠢人，况且他又早等着机会。他就陪着亲热的笑脸：

——新龙华？没有，快到了。

那乡下人才得开口，话早给旁边这位先生抢着说了去，他预备好的说话姿势就改打第二个呵欠，完了事，

好在素贞小姐也不再利用他。

——雾这么大，一点都看不清楚哪。

她自己虽然不好说这话对谁说，可是听的人却明白。他望窗外看了一眼：

——秋天，天气真坏，朝朝晚晚的都是雾。他对她望着，好像窥测她底意志。停了一停，看她并不怎样不高兴——真的，只要他当时能够瞧得透她心里怎么样想着，岂不就省事得多？可是天下无论什么事情，总得绕着圈儿做，他接下去说：

——到新龙华吗，小姐？

——不，到徐家汇。

素贞小姐想往下问：你到那里？但这样的勇气她还没有。她只得望着他，表示她没有预备把这场对话结束。

——徐家汇，一过新龙华就是了。

他说着，又望了一眼窗外，再看了一看手腕上带着的表，再举起手来往耳朵边听了一会儿：

——今天脱班了，到那边恐怕要六七点钟。

这话很引起了素贞小姐底感情。她忘记了在谈话的是一个不相识的男子，她好像在梦幻中似的：

——她们一定等得太长久了。

徐家汇的两座高高的尖塔涌现在她眼前了——她并没看见过这两个卓异的建筑物，这是送她上车的那熟人告诉她，做她底行程终点的标帜的。她看见她底表姊妹们都站在这尖塔下等候她，她们替她提行箧，提藤篮。于是她，在路上，就告诉她们——，要不要告诉她们呢？她在火车上认识了一个人，这样好看，这样温和，说话又这样的文雅，而且，他又是懂得诗的——

他留心到她缄默着，眼光空望着，以为她是在害怕等候她的人会得因为不耐烦而先走了。

——小姐到徐家汇望朋友吗？

文雅的声音在她耳朵边响着，她才警觉了。仓卒间，她一点没有觉得冒昧，由于她底天真和多情，她说：

——不，我到舅父家去。我是去吃表妹底喜酒的。我底两个表姊结婚，我都没有去，所以这一次是不能不去了。她们都在车站上等我，我怕她们等得太长久了，天又这么冷，又是晚了，我该赶上早一班火车的……

如果这时候火车不停在新龙华站上，她一定还会得杂乱地说下去。茶房来高声叫着到南站的该换车了，她对面的乡下人便匆匆地提着他放在椅下的一大篓鸡蛋下车去。那青年绅士挨过来，占据了乡下人坐过的位儿，这样他和她正对着，他们底脚膝几乎相接触了。

——下一站就是徐家汇了。他说。

她抬起头来，看一看搁板上的一个藤篮和一只皮箧。因为火车一路颠簸的缘故，它们已经滑了过去，在隔一排座位的上边了。他顺着她底眼光看，好像觉得了她底困难，便说：

——是这两件东西吗？我来……

在她来得及开口逊谢的时候，他已经站起在坐椅上，替她把行李取了下来。她底藤篮和皮箧以外，他还取下了一只她刚才所没有看见的精致的小皮箧，他随手从椅上检起那本书，放进了他底皮箧里。她偷瞧一眼，看见这里边还有几卷书，此外便是牙刷和手巾。

当火车开动的时候，她不禁问：

——先生也是到徐家汇的吗？

——不是，我到北站。不过我也是住在徐家汇那边的。他说。

他也住在徐家汇，一条街上。也许他会认识我舅父的。也许明天舅父上学堂去的时候，会得在路上碰到他——“昨天荣幸得很，在火车上见到了令甥女素贞小姐，”——“啊，不错，她说起了的，费神得很，多多照应了。”——可是，他怎么知道我的名字？他又怎么知道谁是我底舅父，哎，连得他底名字叫什么，我也没有知道啊。哦，我希望他是舅父底学生，他只要一到舅父家里来，就一切都好了……

这时候，教她快活得说不尽的，是那青年绅士突然以懦怯的，小心的神气凑近来说：

——小姐，可以让我晓得贵姓芳名吗？我可以来拜访你吗？

她觉得脸上热得疼，全没有答话的勇气。

——秦素贞

过了半晌，她才能说出自己底名字，而且是轻得几乎使他要求再说一遍了。他好像对于她这样的羞窘，觉得很满意，所以又用更尖锐的话直刺进来了：

——令亲的地址，能够告诉我吗？

实在没有说话的勇气了，她从衣袋里掏出一个预备表姊妹们不在车站上等候时应用的地址，这上面并且还写着她舅父底名字。但当他审视着这地址的时候，他好像并不熟识舅父底名字，她开始觉得不妥了。如果一个陌生人，到舅父家里来找她，这岂不是闹笑话了吗？于是她觉得有不得不问问明白的需要了。

——你认识我舅父吗？这就是我舅父。

话说出口，她懊悔不该用个“你”字，这样亲热。可是他并不觉得，他一摇头：

——不认得。也许……，哦，他做什么生意的？

什么！做生意！他以为我舅父是个做生意的吗？这太侮辱人了。我应当告诉他个明白，否则……否则他会连我都看不起的。

——不，他不做生意。他是在华东大学做教授的。她把“教授”这两个字故意说得很响。并且，她觉得还有补足一些的必要——我底表姊妹们也都是读书的。

立刻，她看出这些话是很有效验的。他换了一副容色，又高兴，又骄矜地：

——哦，不认得，可是，也许他们会知道我的——说着，他很自然地掏出一个名片来给她——这是我底名片。

名片上只印着一个名字："陆士奎"，她想不起她曾经晓得过这个人。但是，他怎么说？"也许他们会知道我的。"他一定是个有名的人。"陆士奎"？她惭愧她知道的人太少了，但同时，她又觉得喜悦。

她把名片揣在衣袋里，忽然想起一个最紧要的问题。他结过婚没有？大表姊就是这一点糊涂，嫁了一个丈夫，却没知道他已经娶了正室。但是，这怎么问他呢？她迟疑着，而火车已经驶进徐家汇站了。

——到了，徐家汇。他说。

她不得不站起来挈着她底两件行李预备下车了。天色已晚，她望站上看了一看，黑黝黝地看不见表姊妹们，她觉得有点心慌。她匆匆地对他点点头，好像有许多话没有说，又好像是表示感谢，又好像是辞别。当她底腿在他膝骨上擦过的时候，她觉得一阵微细的快感。

于是素贞小姐下车了。立在月台上，她刚要探望，迎面走来了两个女子。这就是她底大姊和大妹，但她却呆看了许多时候才认得出来。大姊接了她底小皮箧去，一手牵着她，对她说了许多话。她说些什么话？大概是关于火车误点，累她们等得心焦这些话吧？素贞小姐虽然感觉到欢喜，但没有听得十分清楚。因为在她底表姊妹牵着她走出月台的时候，她曾经偷偷地回头看过两次。每次都看见他底头伸出在车窗外。他是在目送她啊。

在舅父家里，晚饭后，大姊和两个表妹都陪着她闲谈。只有二表姊因为出嫁了，要到喜事的上一日才得回来。大姊是因为离婚之后，心里不舒服，得了肝气病，说话的时候，常常把手去按摩着胸膛。素贞小姐在灯下看着她，虽则只相差了三岁，可是已显得憔悴了，一点也不像九年前到乡下去看她那时候的美丽。若不是看见两个表妹的好兴致，她也许不会再想起刚才火车上所经验过的浪漫史了。

在热闹的闲话中间，素贞小姐几次想告诉她们，她在火车上认识了怎样一个男子。甚至，在两个表妹互相述说着——真的，她们好像一点也不觉得害臊的——各人的浪漫史的时候，她也几乎想骄矜地承认火车上的那个男子，他底名字？哦，陆士奎，就是她底情人了。

素贞小姐隔着衣裳，摸着了那坚硬的名片。她好像把握住了一股新的勇气。觑一个谈话的空儿，她终于把这珍贵的名片摸出来了。

——你们认识这个人吗？

她把名片在桌上一放，装作很不经意的神气。二表妹最活溜，她一抢就把这名片拿在手里。她睁大了眼睛，很惊异似地叫起来：

——陆士奎！

——什么？陆士奎？大表姊把名片抢了去看。大表妹也凑过来急着要看个清楚。坐在旁边一只大臂椅上看哲学杂志的舅父也放下了书，露着不明白为什么纷乱的神气，呆看着她们，这些特异的动作，素贞小姐都清清楚楚地看见了。她很得意。他一定是个有名的人，“也许他们会知道我的。”可不是？他们全知道他。可是他们全没有认识他。素贞小姐脸上透着骄矜的笑容。

——你怎么认识他的？大表姊问。

——火车上认识的。素贞小姐光荣地回答。——你们认识他吗？他第一次当着人称“他”，觉得这个称呼很温和，很美丽。

——谁不认识，陆士奎，电影明星。

二妹嚷着。素贞小姐刚往后仰，靠在椅背上。一个又温和，又文雅，而且又懂得诗的理想的丈夫。她觉得二十八年的处女生活并不是完全虚度了的。可是，二妹说什么？谁不认识。陆士奎，电影什么？她腰一挺，睁开了眼睛望着她底表妹——

——什么，你说什么？他做什么的？

二表妹透着不解的神气。她以为她错了。她从大姊手里取回了那名片再看了一看：

——怎么，难道不是那个做影戏的陆士奎吗？

做影戏？她说什么？陆士奎，做影戏的，一个戏子，一个下贱的戏子！难道他是个戏子吗？素贞小姐好像受了意外的袭击，她疑心她听错了，要不然，一定是弄错人了。但二妹又在好像想起了什么似地说了：

——噢，是的，是他！我还看见他头伸出在车窗外边。说起来倒想着了。你们说些什么话呢？

素贞小姐简直的不懂二妹为什么这样羡慕一个戏子，她玩弄着那个名片，眼望着她，好像很想晓得他和她二人在车中的情形。至于素贞小姐她自己呢，她觉得通身都松弛了。很疲乏。火车坐得时候太多了。她靠着椅背，勉强装着笑容，哆开了嘴：

——没有说什么话。

她淡淡地说。一回头，仿佛自己还在火车里：

——今天雾真大，一点都看不清楚哪！

港内小景

十月的晴空下，南国的港湾中还孕育着一股爽朗的热气。丈夫陪伴着软榻中的妻子，在哈因里希疗养院的一个面海的露台上用下午的茶点。妻子是患着不治的肺病，从多雨的故乡×州旅行到这里来，是由于医生底最后之警告及丈夫底好心的敦促。

妻子是个知足的旧式女子，自从结婚之后第二年的一个冬季的清晨，发现自己患着遗传性的肺病，而且正在加重病势的时候，一直到如今，她已在寂寞的卧室中，一只沙发椅上，静坐了二十四月了。她觉得很满意，因为她自己没有预料到她的病体还能支持到这样长久。她并不把这效验归功于丈夫底朋友陈慕韩医师底每三日一次的殷勤的诊治，她却感谢着她丈夫对于她的体贴。在没有发觉自己患病以前，丈夫底脾气显见得是在渐渐地粗暴起来，他们时常为了些微小事而口角，甚至丈夫一怒出去，终夜不回来，但是自从那一天，也是因为两个人有了些龃龉，她吐了一大口鲜血出来之后，丈夫倒变得十分柔和而亲热了。

丈夫替她特别布置了一个向南的楼房，专雇了一个女孩子供她使唤。每天下午，从公司里回来，丈夫总来陪伴她，听留声机，无线电，直到她有了倦意，或是天色昏黄了。晚上，丈夫看着女孩子替她铺好被褥，服侍她安睡了之后，才蹑足退出去，到间壁房中去看书，睡觉，或独自个出去看电影。

她很满意，因为在丈夫这样的细心体贴之下，她底自问很危险的病体居然能支持到这样长久。

现在已是秋季了，×州已下着兼旬的寒雨，她底身体感着瑟缩了。陈慕韩医师再三劝告着，说如果不想法移转到热带去过了这个冬季，则她底生命是很不容易支持下去的。反之，倘若能够避免了这北纬三十二度间的寒冷的气候，而连接利用热带的阳光之刺灼，则她底肺还可以有恢复健康的可能。所以，丈夫经过了半个月的预备和考虑，便多情地陪伴着她到这建筑在南国的港湾中的著名的疗养院里来了。

今天是他们住院以来的第七日。依照着每日的治疗程序，她在被施行过气压术之后，由看护女把活动的软榻推移到满濡着阳光的露台上来。

她躺着，呼吸温暖的空气。虽然只有七日，但她已觉得这热带的气候确已在她的脑部起了神效的作用，她的呼吸已轻快舒畅得多了。她稍微侧转头来，看见丈夫坐在镂铁花纹的栏干边，就一只小茶桌上饮咖啡，安详和温雅的仪度，正和栏干外边涌现着的港湾中的景色一样的光辉。她徐徐地闭了眼睛，幸福留止在她的微笑中了。

丈夫呢？丈夫依旧呈着他底扑克脸。将残余的半盏牛乳倾注到咖啡里去，但他并不一饮而尽。他底眼光超越了横在当前的栏干，而远远地伸入到港外的海面上。青色的海面上，三角帆做成了白色的花，像睡莲一样地浮动着。睡莲是勾引人底记忆的，于是丈夫底心里也有所萦系了。

丈夫关心着他底病了的妻子吗？不，虽然他曾对她拂拭了一眼，但这时候占领着他底心的，却是另外一个女子。自从妻的病像完全暴露了出来以后，丈夫好像被解放了一样，觉得他对于她的关系，现在是只剩了服侍一个病人的义务。他不能很细密地分析出自己对于妻不满意的种种因素，但是在思想和行为上，他们随时都会得发生冲突，这是在二年的婚后生活中业已证明了的。于是她吐血了。于是他约束了一切的嗔恼，像一个细心的医生，装着忠诚的态度服侍她了。他虽然不愿意她真的就完全恢复了健康，但也不敢意识的地愿意她萎灭下去，这就因为他还是一个绅士。

一个病卧的妻，对于一个多情的丈夫，是有着不少方便的。他对于她底病，多少有点感恩了，因为他已经从另外一个女子身上，取偿了他在妻身上所消失了的爱情。一方面，他每天花费一点时间去调护病人，而一方面，他以种种托辞去从事于恋爱的新生。他以为这是一种最和平，最没有危险的，一个在他这样环境中的丈夫底最合适的生活方式。

所以，如果那另外的一个女子不曾答应他乘约定的邮船追踪着来，他是未必会让他底妻到这里来享受这进步的治疗的。今天，便是预约着的邮船进口的日期，而现在，当他饮尽最后一滴咖啡的时候，也便是那邮船泊岸的时候。

他看见了好久了，分开了白色的睡莲，海面上渐渐有点黑烟在向着港湾里行进来。他看出这是他所期待着的船。他也仿佛认出了这船上的蓝烟囱。他也甚至好像看出了那甲板上有他所盼望着的女子伫立着。从倾斜的山坡底肩膀边望下去，他还看见码头上乱轰轰地聚满了人：大旅馆底招待员，迎接大人物的政客，搬运货物的苦力，侦探，巡捕，和獐头鼠目的小偷儿。

他把一片蜜饯的加里福尼亚桃子送进嘴里之后，就用食巾抹了一抹手，站起来预备走了。但是，假寐在软榻上的她却睁开了眼睛。

——你来摸摸我底头看，今天没有发热吗？

她以晶莹的眼光使唤着他。将近夕暮的黄金色的阳光斜照着，她底灼热的颊上泛着两点美艳的桃红色。于是他俯下身子去抚摸她底前额。他感觉到手掌中好像握着一块赤炽的铁。他皱了一皱眉头，但并不说话。

——怎么哪，还发热吗？

妻从丈夫底神情中揣得了她还照例地在发热，她稍微仰起了头，看见丈夫已立直了，眼光瞭望着山脚下的海港里。她也顺着丈夫的眼光望出去，但她看得太远了，在紫的烟霭和深蓝色的海面中间，她看见白色的睡莲在一朵朵地摇曳着。她以为丈夫一定从她底高热度中感觉到了什么不吉的朕兆，所以忧郁起来了。为了要宽解他底心，或是说为了要表示一点感激，她微笑着：

——但究竟好得多了。现在发热，我自己也不觉得烦躁了；眼睛也不再那么样的昏眩，我已经能够看得清楚海面上的那些渔船了，耳朵里也不轰响了，一个蚊虫飞过和一个苍蝇飞过，我都能够分辨得出来了。我看得出我底病给这里的医生一治，就快会得好起来的。

她这样半独白似地说着，并且为使她丈夫坚信她底话起见，临了还微微地侧转头去对侍立在榻后的女看护说：

——可不是吗？

但是她丈夫却并没有看出她底病会不会好起来，他只看见那只蓝烟囱的轮船已经稳定地停泊在码头边了。他脚下不免有些踟蹰，鞋底擦着铺地的花砖，沙沙地响起来，凝练的无表情的脸上也透露出一丝焦急来了。而这时，妻还反而执着他底手：

——那本书呢？你坐下来，你再读下去给我听。倭利物在卑田院里给盛粥的执事在头上打了一勺子以后，怎么样呢？他们到底还再给他添一碗粥吗，可怜的孩子？

丈夫啮着下唇，用了极大的努力，把从心底里升上来的暴躁随着一口唾沫咽了下去：

——书在房里，晚上再读给你听吧。

他以矫作温和的眼光，向妻看了一下，手伸到衣袋里去，摸到了他底烟斗。他灵心一动，好像获得了一条锦囊妙计，把烟斗掏出来了。

果然，这是一个很见效验的脱身法。侍立在病人背后的女看护就阻止他了：

——先生，在病人面前是禁止抽烟的。

——啊，恕我！

他对女看护说，但并不把烟斗放入衣袋里去。把大拇指按击着烟斗，好像有了不可反驳的理由似地，他对她看了一眼，同时，被她执着的手挣脱了她底掌握，略略地抚摸了一下她底手腕：

——我到海边去散步一会儿，抽一点烟。

多情的丈夫，就这样有礼貌地辞别了他底妻，走下了哈因里希疗养院的山坡。

走下了山坡，就是一带白砂的塘路，经过一个榕树林底边缘，这路就一直伸展到热闹的港口去。丈夫就在这砂路上以轻快的感情漫步过去。他是应当奔跑的，但因为路上还有人来往，便也不敢显然地透着匆急。大海涛声在耳朵边狂吼着，一眼望出去，伸入在海中的岩石上，喷溅着暴怒的水花。这使他心中加增了焦急。但他回头一看，沉静的斜阳已把疗养院底大厦分作两个斜切面，门楣上只有“哈因里希”一个字还闪着金光，而“疗养院”这字已被吞在晚烟里。矗立着的棕榈树，在彩霞的空中幽默地伸展着它们的巨灵掌。这和平舒缓的景色好像有把海波的汹涌镇抑下去的伟力，于是丈夫底焦急也越发不便呈露出来了。

但是偏偏在榕树林边，他碰到了那个白发满头的哈因里希博士。一眼看见他，哈因里希博士就除下了帽子以至诚的仪注招呼了。握手之后，老博士除下了他底眼镜，掏出一块丝巾来揩擦着，同时挤着他底短视的老光眼睛向他审视着，微笑地打着木强的中国话：

——恭喜，恭喜，尊夫人的毛病不要紧。今天达克透封·霍夫孟送报告书来，说尊夫人已经增加了十分之一磅体重了。再住几个礼拜，一定还有好处。

但这时丈夫并不有听说妻的病状的心情。他知道，给这位老医生一纠缠，至少得耽搁十五分钟。这是他有过经验的，哈因里希博士就因为对于一个病人或其保护人肯不厌烦琐地讲述病状，所以他底疗养院会得生意兴隆起来。

——很好，谢谢你，谢谢你。对不起，再会！

丈夫就把帽子一掀，独断地分别了这老医生。待到那老医生把他底眼镜戴上，他早已走在十步之外了。哈因里希目送着他走，摇着头，他心中纳罕着：中国人的感情是奇怪的，譬如像这位绅士一样，既然肯把妻子送进医院，可是倒并不十分高兴妻子的病好起来。

他赶到码头上，已经太迟了。到埠的客人都已上岸了。码头上只余着许多行李和搬行李的脚夫。船尾的货舱已经开了，许多苦力正在装卸货物。他上船，寻遍了三层甲板，不看见他所迎候的女人。于是他暂时地在船舷旁小立着，连情绪都像一个环游世界的旅客了。

也许她因为找不到我，就接了什么旅馆的招待卡去了，大约不久她自会到疗养院里来的。他这样自己求着解答，懒散地拖着迟重的脚步走回去，而把失望的忧郁都堆在那病卧着的妻子身上去了。他走得很慢，天色遂在他底行程中昏黑下来。

走进房间，在柔弱的灯光下，妻正和那个熟识了的看护女闲谈着。他看了她一眼，默然无语，在临窗的摇椅上坐了。

——没有抽烟吗，一包烟忘掉在房里？

妻以眼光注视着他床边小茶桌上的那个贮烟草的皮袋，这样说。他觉得脸上有点热，因为他方才记得上午换衣服的时候，把一袋烟草搁在桌上，并没有和烟斗一块儿带在身边。

——唔，忘记了，就在海边散步了一遭。

他漫应着，隔了玻璃，看着下边港中的灯火。病人因为在看了一眼茶桌上的烟袋的时候，带便看见了刚才送进来的两封信，就以撅起的嘴唇及下颔做着暗示，叫那个看护女将两封信给他送了过来。

一封是公司里来的，总是关于营业方面的话。还有一封呢？信封上呈现着纤细的笔致，但并没有寄信人底姓名和地址。他就先将这疑问的来信剖开了：

“我应当先告诉你，我要结婚了。这就是我不能践约的理由。我想你一定恼我的，但这不要紧，一会儿就会好的，只要你晓得我这个计划是不错的。你以为我还是立刻嫁给一个有病的老人好呢，还是等候着一个有病的妻子底丈夫来娶我呢？所以，当你告诉我，你预备把尊夫人送到南方去医治的时候，我就决定先嫁给他了。我想你一定认识他的，那个生黄疸病的老爹爹，你不是在回力球场里看见过他吗？

“当你收到这封信的时候，我们的婚礼已经举行过了。你看，我做事情多么豪爽，不像你那样的迟疑不决。但是，亲爱的，你不要伤心啊，我看得出你现在会得心里很难过的，因为在恋爱上，你还有点稚气。再过两三个礼拜，我会得劝我底老爹爹到南方来医治的，你不要忘记，他生着黄疸病啊。我们现在是在同样的情形里，这对于双方都是有利无弊的，可不是？

“你们住的是不是哈因里希疗养院？倘若你高兴给我一个回信，可以仍就寄到我底老寓所里，并且还请你寄一份哈因里希疗养院的章程来。

“祝你和尊夫人都好。”

这是她底信，信尾分明签着她底名字。这就是他所等候着的她写给他的信。他反复展玩着这一页细薄的信纸，再也发现不出别的足以使他兴奋起来的字句。他觉得受了不可告人的侮辱，好像鱼骨哽了咽喉似地不快起来。他即使不因为她底嫁人而觉得失望，但也并不因为她允许在两三个礼拜之后来会晤而感觉到愉快。不！一点不愉快了！

他回头向窗外空看着，而这时，半坐起在床上的病着的妻还在絮絮地和看护女谈话：

——不是吗？调养我这种病真是太花费了。我原先是不愿意到这里来的，只要自己小心点，不受冷，在家里也不一定有什么大坏处。可是，他听了医生的话，一定要我来，拗不过，只得来了。……

丈夫，给这样的话刺了心，回过脸去，看见她底眼光正斜射在自己身上，满含着骄矜的容色。他站起来，走到她床边去，机械地抚摸着她底眉额，一直到她底发烧的脸颊。萌动的热情，不，不如说是怜惜，在他冷静的扑克脸里透露出来。他俯下身去，吻着她底额角：

——别多说话，多说了伤神。

知足的妻就闭合了眼睛。丈夫心里奇怪：假如她识了字，看见了这样的信，会怎样呢？他就这么一想，并不再想下去，随手从自己床前的茶桌上拿了烟袋，轻轻地走出了房间。

他站在哈因里希疗养院的中央大厦面前的草坪上，远望内海及岸上历乱的灯火，繁嚣的市声被飘荡的夜空气传达过来，愈觉得自己的心之寂寞了。他将从寂寞的心里勘悟出什么来呢？没有人知道。他自己也来不及知道，因为这时那哈因里希老博士恰巧从走廊里踱出来。

——晚安，达克透哈因里希，你愿意我奉敬一筒烟吗？我很想知道一点内人的病状呢。

他这样招呼着，于是善良的老医生又照常显出了高兴的神气，用力搓着两个手掌，走了过来：

“Ja，Wohl，Ja，Wohl”

残秋的下弦月

夕阳从屋脊上消隐下去，小小的庭院中归于寂静了。

妻睡在床上。——其实，与其说是睡，倒不如说是倚，比较的适当些吧。为了她底病和癖性这双重的理由，她垫了三个厚实的木棉枕。丈夫呢？他是照例地坐在他底狭小的书桌边，执着一九三一型的珠光的派克笔，笔尖指着桌上铺着的一张四百字的原稿纸底第二行第三格，画着虚空的圈子。他是在沉思于一篇新作的结构，预备当灵感来时，不许有一秒钟被放过，立刻就把第一个字写下了。但是他这样地已经继续了三个下午和晚间了。

妻是患着种种可憎的病：心脏怔忡症，胃不消化，发热，偏头风。她淹滞在床上已经六七周了。除了每天上午，他必须到距离五里外的一个中学校里去教书以外，从下午回家后一直到睡觉的时候，——那当然是在午夜了，他总是在卧室里写着文章陪伴她的。

但是三天来，他底思绪却因为却搅动而愈纷乱了。

怎么竟一点新的意思都没有了呢？就是一个最简单的主意，只要一触发到，也就立刻可以推演开来，写成一篇小说的啊！情节——不一定要繁复的情节，现在是，只注意于情节的小说已经不时行了。他时时刻刻地这样压榨着，搜索着他底脑子。但是，他没有希望。烦恼极了，用力把笔一震，常常会有一滴不懂礼仪的墨汁沾污了原稿纸。于是，换了一张纸之后，他底派克笔仍然指在第二行第三格上画着虚空的圈子。

妻看着玻璃窗上的一方一方的天逐渐地昏暝下来，略略地侧了一侧身子，好像一种紧张的感情突然舒缓了似地，轻轻地，但是悠长地，叹了一口气。

——天又夜了。

她底话并不一定是在对他说，而他也并没有关心到她在说些什么。但是：这个声音却使他开始感觉到室内已经完全黑暗了。这已经是没有灯火不能写字的时候了。于是他放下笔，从纸堆里检得了桌上电灯底插子，拿来向近桌子边的墙上接亮了灯。同时，他对那些退缩着的窗帘看了一眼，略略地沉思了片刻，便又执着他底派克笔了。但好像觉得这样终究是不妥善，所以他重又放下笔，勉强地站起身来走到窗前去将窗帘放下了。

在回到书桌边去的时候，听见了她底微弱的声音：

——给我一杯茶喝。

他变更了行程，向茶几上斟了一杯茶，递到床前去。

但依旧沉默着。茶杯离开她底嘴还有二三尺，他不再送近去了。

她也并不坐起身来。也不从棉被里伸出手来接了茶杯去。她疑问似地看着他：

——怎么哪？

——怎么哪？

——你为什么不做声？

——做什么声？给你斟茶就是了。

——这样看来，你好像有些不愿意的样子。

是在挑战了吗？正烦恼于思绪不属的丈夫，听了病的妻子底多疑的话，更不愉快了。但是，他没有忘记了自己是个有涵养的人，咽了一口唾水之后，说道：

——唔，并没有那种奇特的意见啊。

但是她并不放松他。

——又要强辩了吗？虽然身体是病了，但眼睛还很不错呢。

他觉得没有再答话的可能了。他把茶杯放在床边的小圆桌上，仍又回到他底原稿纸旁边去了。假设要描写一个审判厅里的录事……他开始运用他底脑筋。

这时，床上的病人，并不坐起来或伸出手来接取那个茶杯，又喃喃地说起来了：

——我说，你完全改变了。你现在很不愿意替我斟茶了。是的，即使你怎么样强辩罢。想想看，从前你什么都替我做。你甚至肯替我穿鞋子。有一天，当我们在那个大平原上散步的时候，我底鞋子给陷在泥潦里了，难道没有那事情吗，你给我拾起来，并且还给我穿上了，而我是坐在一块花岗石上的？

他一边想着计划中的录事，一边觉得病人底感伤是应该禁止的。医生曾经叮嘱过，她是不能受过分的感伤了。他说：

——是的，是的，我都记得！这些都是我。但我到现在也还肯替你做一切的事情，我没有不愿意呀。

用鼻子做出来的冷笑的声音从床上发出来。

他觉得应该进一步地解释这个不幸的误会了。

——还不相信吗？人家是因为没有什么话应该说，并且心里还在想着别的事情，所以不说话的呀。没事情快不要妄想了，你喝你的茶罢。

这样说了。他以为关于这方面的事情已经完了。要描写一个录事怎样呢？他继续着想，说他收受贿赂罢？……假设是一桩公益事情的案件，有某绅士者，……哦，究竟应该写怎样一桩公益事情呢？……

妻正在喝好了茶，按摩着肚腹和肋骨。

——你说，我会得变作肺病吗，这里很有些痛呢？

——那可不知道。

——你知道肺病的人这里痛不痛的呢？

——哦，我不知道。

——怎么，你这种常识都没有吗？抽屉里有一本《肺病须知》，你给我拿出来检一下看，有没有这样的病象。

丈夫回过头来对妻一看，就放下了笔向她所指着的抽屉里取出了那本小书来。但他并不看。他递给了她。

——你自己去找罢，我要做文章，没工夫哪。

——可不是，我说你不愿意，没有错吗？

他不再去理睬她。计划快要完成了，只要决定了是那一件公益事情。譬如，开浚城河，倡办消防队，增加警察，……哦，那一件，……那一件更适宜呢？他这样沉思着。同时，睡在床上的妻，——她接了《肺病须知》去，只翻开了第一页就放下在被角上，也沉思于一种新的回忆里。

——哦，我们从前常常到公园里去玩的，不是吗，也在秋天？公园里的那些红红的枫叶多美丽呢？……我们总喜欢去坐在这种美丽的树叶底下的。有一次，我们曾经在落叶上做缀字的游戏。你还记得吗？……是的，我们常常坐了马车去的，我喜欢坐马车。我们几时再坐了马车去玩公园呢？

似是他没有听见。于是她不得不烦躁地用较高的声音说了：

——喂！我说我们几时再坐了马车去玩公园呢？

他又回转头来，憎厌地望了她一眼，随即用着一种经过了努力的压抑而变得很柔和的一个充满了爱情的丈夫底声音说道：

——哦，当你病好了之后。

——等我病好了之后吗？谁知道我几时会好呢？也许那个时候已经没有那些好玩的红叶了，也许那已经是冬天了，是的，冬天是很可怕的哪。如果是肺病的话，到了冬天，也许我会得死了的……

对于她底妄想，他觉得有严厉取缔的必要了。这种消极的思想，医生曾经说起过，对于她底病体是很有妨碍的。她一天到晚躺在床上胡思乱想，这反而容易加重了她底病。烦恼着的丈夫，这时几乎把因果颠倒转来，而认为她是因这样妄想而生病的了。

他站起来，走近床前去。

——谁教你想到这些的呢？你不能静静地睡一会儿养养精神吗？少想一点，病就更容易早好一点，那个时候，我们坐了马车去玩公园，红叶还不会掉下来呢。

她很注意地听着，眼睛里露出了特异的精采。但好像没有听到他说完，她又沉于自己底妄想中去了。

——我……我觉得……

——怎么，你觉得？

——我觉得……我要你坐在这床边上。

——哦，我坐在那边陪伴你不好吗？

——不，我不是害怕。我觉得你应该坐在这里的。

——但是，哎，你难道忘记了我正在写文章吗？

——哦，我没有忘记。……但是，我要你先在这里坐一会儿，你会不会告诉我，从前我们在公园里常常讲些什么话的？

这简直没有意思！丈夫感觉到了愤忿。是的，确实是有点按捺不住的愤怒了。

——难道这种都值得去回想的吗？

他忽然地归了原位，重新抽理着他底计划。为了要描写一个录事底纳贿行为，所以先应当想停当他是在那一件关于公益事情的案子上做这种不检行为的。哦，现在，就决定了那是为了倡设消防队的事情罢。某一个绅士，因为在经手这种公益事业的时候，侵占了一笔公款。是的，应该写成一件绅士侵占公款的案子。……但是，她怎样了，好久不响了。一想到病人，他不禁又回转头去。

她凝看着天花板，还在沉思。微笑着，好像在她底眼睛里，神秘地看见一个乐园。但他底关注，她并不是不觉得的。她立刻就略微侧转头来，眼光触了他底。

——我看见了采采了。

他突然感到一阵恐怖。他走到床边，凝看着她，好像她脸上浮现着邪气似的。

——怎么，你说什么？

——我说吗？……我好像看见了采采。

——胡说！这是胡说！你一定是想起了她！

——但是我们几时给她埋葬呢？

——等你病好了！

他是恐佈，憎厌，又烦恼，所以语气不免粗暴了。

——哦。她漫应着，又沉思似地凝看着天花板，独白似地说：

——我们要葬得她很美丽呢。坟上一定要一个小天使的，那种外国孩子坟上的小天使石像要多少钱一个呢？

——不要想到这些！到了那个时候再想！再问！现在你应该睡着了。你不应该打搅我呀。我今夜非把文章写起来不可的！纵使你不替自己底病体着想，难道也不给我想一想么？

虽然他费了许多威和力说了这些话，但她完全没有听见。她只管自己继续着述说她底妄想：

——哦，等我病好了我会得自己去办的。我要给她做一个美丽的坟，用白石砌起来的。四周还要种许多花。……我应该种些什么花呢？哦，蔷薇，月季，海棠，还有紫罗兰，那是外国花了。晚上，让月光照在她的坟上，那又多少美丽呢？哎，说起，今天是几时了？……九月二十一，是的，月光该还有着哪。你为什么要紧开了电灯呢？喂，你把它熄了罢，并且把窗帘开了，我要看一会儿月光呢！

他是除了愤怒之外没有别的感情了。决然地回复到他底坐位上，大声地叱着：

——你给我睡！不许想起那些！我要写文章呢。今夜如果再写不出来，下星期的生活就成了问题，这个你不觉得可怕么？

——但是，请你熄一刻儿灯也成。我只要看一看月光，——这快要残尽的下弦月，只要一刻儿工夫，我一定会得睡着的，我请求你，这是没有多大关系的！

丈夫静悄悄地站起来，熄了灯火，掀开了窗帘，甚至开了窗，沉下在一只大软椅中。

残秋的下弦月，流进在这幽寂的小室。

不知过了多少时光，丈夫觉得冷了。他起来关了窗，下了窗帘，明了灯。他走近床边去。她已经睡熟了。两颊显着绯红的颜色，微笑着，好像还在承受月的光，又好像还在妄想着在花岗石上穿鞋子，坐了马车玩公园，和采采的美丽的坟。

他叹息着，替她盖好了棉被。

莼　羹

星期六的夜饭后，四体甚为舒适，翌日的整天的休息，好像简直是三个月的暑假一样。我从茶桌上的漆匣中拣了一支松软的卷烟，捻亮了台灯，两脚搁起在书桌上，坐在藤圈椅中预备把未看完的半本 Julien Green 底 Adrienne Mesurat 做个结束，这是一本出色的书。

而这时，妻还在厨房里收拾碗盏。我在无餍地吞食这少年代表法国作家的时候，隐约地还听到她底尖锐的笑语声。她在和女佣斟酌着明天该买的菜蔬：买一个小鲫鱼罢？……不，他不要吃鱼。他是个小孩子，他怕鱼骨会哽了喉咙。还是再买一斤牛肉罢，用茴香桂皮红烧。……不，不知他吃厌了么，近来时常吃牛肉……让我想，这几天小菜场上有什么时鲜的东西么？说起，莼菜不是已经上市了么，可惜上海没有好的莼菜……明天拣叶子小的买二斤来罢，橱里还有些火腿，放个汤。……，哎，你来看，这个碗谁打破的？……

我把 Julien Green 放下了，凝看着墙上的烟圈儿。

在无意的沉寂中，妻推开房门进来了，衣袖还卷起着。

——你说，明天做个莼菜汤不好吗?

她走近我身边，整理着衣袖，含笑地问。

但对于吃什么菜之类的问题，不知怎的，我总没有什么大兴趣去研究。每天的菜，我是总要等陈列在桌上的时候才知道，或者还可以说，吃过之后便立刻又会忘记了的。而妻却总是这样地时常来和我商酌，尤其是星期六的晚上。

——唔，好的。我就这样不经意地回答了。

——什么?你不很喜欢吗?你不要吃就不买了。你想想看，明天买些什么呢?

——莼菜，好的，就是莼菜罢。

我又把 Julien Green 放在眼前。但妻却笑起来了。她拍着我底肩膀：

——你总是这样的老脾气。问你时总是说随便的。到吃饭时候却又有种种的嫌憎了。上礼拜你不是说这一次你自己来点菜吗?

不错，我确是这样。但我不承认这是我底脾气。每逢吃饭的时候，我会得对妻说出我对于当日的饭菜的意见。蛋炒得太老了，肉应该用稻草扎了煮才好，煎鱼应当多放些葱，诸如此类的话。但我并不是挑剔她底烹饪法，也不是考究口腹，甚至也并不是表示什么不满，因为虽然这样的批评着，我依然会把这些菜努力加餐的。我底朋友戴望舒先生，他会写很好的诗，但我总不大称赞他，我甚至要在他每一首诗中指出瑕疵来。我很知道，大家恭维他，这是危险的。我故意指出他底瑕疵来，这可以使他底诗艺更有进展。我对于妻底烹饪术，也正如对于戴望舒先生的诗一样。但妻却并不如戴望舒先生那样的因为我底指摘而自己去改善，她误会了，——在另一方面，这也可以见到她底好处。她却因此时常要我显示些烹饪术了。所以，在上星期日，当我又挑剔着菜肴的时候，她曾经笑着说："下星期让你自己点菜，自己去买菜，自己去煮菜罢。"这正如我不会自己做诗一样，使我麻烦了。但为了不甘示弱之故，确曾慨然地答道："算数！"

所以她今天这样说了。

想起了上星期的话，又凝看着她底笑容，老成里透露出过去了的天真来，我不觉又将 Julien Green 放下来：

——好，我就点个莼菜汤罢。

说着我点点头，笑向着她。她也满意地笑了。

——不是说你自己去买，自己去煮吗？

对于这样不容情的追问，我一时竟不知应当如何回答才好。继续着上星期那样的不甘示弱的态度，而毅然地承认下来吗？真的自己到小菜场上去买菜，自己动手去烹调吗？不，这是决不可能的。我是连秤都没有识得，那一颗星是一斤的标记呢？莼菜底行情是论斤的呢，还是论两的？即使买了来，应当怎样烹调的呢？这些，我是不消说得，完全是外行的。但难道我就因此而完全降服了？然则对于上星期的慨然承诺，岂不要觉得是徒然的吗？我默然抬眼看着她。

但她早已看出了我底为难的神情。是的，她有锐利的眼睛，——或者还不如说是锐利的感觉，在不论什么家庭琐屑的事件中，我没有说话，她能够依照着我心中初动的意志做去。

——哈哈，不是很觉得为难了吗？

她用着并不含有恶意的嘲笑的口气说，手抚着我底肩膀。

我呢？我承认我有一种做男子的自尊心。我肯完全接受这嘲笑吗？……不，不肯的，可是……为难？究竟到小菜场去买莼菜，和自己来烹调这两件事情对于我是不是真的很为难的呢？我心里斟酌着。这时候，女佣又照例地进房来向妻拿明天买菜的钱了。

——刚才你不是已经吩咐过她，叫她去买吗？……

我得救似地向女佣呶着嘴，接着又说：

——至于买了来之后，要我自己动手做一个莼菜汤，那倒并不是为难的。

一点没有思索，我竟这样笑着说出来。这对于我和她，都好像彼此得到了胜利似地，把问题圆满地解决了。她抿着嘴：

——好！明天看你的。但是……今晚不出去了吗？

我抬眼看她，她底眼光正注视着茶桌上的本埠新闻。

——当然要出去的，奥迪安罢。

这也是我前几天给她的预约。

看了映画之后的疲倦的睡眠，使我把昨夜的事情全都忘了。

待到觉得从纱幔上透射过来的太阳底强度的光线而推枕起身，已经是十点钟了。我匆匆地洗脸，漱口；整理了一下庞杂的桌面，安坐下来，想写一些或翻译一些东西，作为我每周间自己底工作。同时，心里却满怀着最好是上午不要有客人来破坏了我底安静的企望。是的，近几星期来，每逢星期日，无论上下午，随时都有认识的或不认识的客人来闲谈，这几乎成为我唯一的苦恼了。

我心中踌躇着：现在已经十点半了，从此刻到吃午饭的时候，只有一点半钟，而下午是即使没有客人来，也一定不能做正事的。然则在这一段时间中，我将做些什么呢？写一篇小说吗，即使很短的，也不能在这样的时间内写好；翻译一点小说或随笔之类的文章吗？要在这一点半钟内译完，这样的材料手头却一点也没有；这原是我的脾气，我不能把一桩整个的工作分为几次去做；同时，在一个工作没有完成以前，我决不会开始另一个工作。对着铺在面前的稿纸，和蘸了墨水的在手中旋着圆圈的笔，我不觉纷乱地又蹉跎了五分钟。

看看妻已经在起身了，我心中不觉焦虑起来。我往往是这样的，每星期只盼望着一个星期日，因为在这一日，我可以全日委身于我自己底工作——这里所谓自己底工作，实在包含了许多事情，写一些，翻译一些，读一些，都是，——作为我六日的辛苦之后的休息。但结果总往往给种种不相干的事情来破坏了我自己底日程，到星期一早晨起身来的时候，常是好像昨天这日子完全没有经过一样。所以，正在自己烦恼着的我，看了妻底起身，好像时间在煎迫着我似的，顿然有些暴乱起来了。“今天是，在午饭之前，无论如何要成就一些的！”我转入到这样的决心。于是，当一眼看到了书桌左方的一本女诗人孟洛编的《英美新诗选》的时候，忽然有了一个主意：

——把这些选出的诗译几首罢。

前几天看了这本现代英美意像派的新诗选集，觉得很满意，当时就在每一首惬心的诗中间夹了一条纸片，原是预备等有暇时把它们译出来的。现在，这时间不是很可以利用来完成这种夙愿么。我把这本诗集拿过来，随手翻开一个夹着纸片的地方，却是英国意像抒情诗人Riehard A dington底题名为“意像”的六章短诗。

妻到厨房里去了。我整了一整坐位，如果字句底斟酌不费时间，一点半钟译好这六章诗是很可能的。我心中估量着，欣然握笔，从事于第一章短诗的迻译了。

但是，在二十分钟以后，我才知道我底企图是不能完成的了，因为我在这样的时间内，才勉强把这一共只有四行的第一章诗译好，而且已经是用尽了我底修辞学了。我心中的暴乱不觉益发加甚了。照这样的能力看来，难道在午饭之前，我只能译好三四章诗么？我把笔向书堆里一丢，颓然沉下在藤制的圈椅中。而这时候，替我底不自禁抑的烦恼来助长威势的事情来了。房门一启，女佣引导了好久不见的朋友朱君进来。我于是只得在被压抑的心境中，搜寻出热忱的笑颜款待他。对于这朱君底来访，我是很愿意说我很高兴的，但为了他来访的时间不巧之故，我躁急的心中，不免怫然了，可是怫然又有什么用呢？他既然来了，我除了放弃了我底译事以款待他之外，还有什么更好的办法呢？

朱君底谈锋很健，他说了许多的话。我虽然在和他应答着，但不知道究竟听到了他多少。渐渐地我睨视着桌上的小矾石钟，已经十一点一刻了。他大概在饭前不会走了，他住得很远，当然要在我家吃中饭的了。这样看来，上午的工作是止于这一章四行的短诗了。一阵无可发泄的烦恼又侵袭了我。

妻端了两盘蒸腾着热气的菜肴进来，放下在靠窗的我们底日常的餐桌上，（很寒伧，我们是把卧室书室和餐室并合在一间里的）笑着对朱君道：

——朱先生，今天你可以尝尝他做的菜了。

嘘！竟是这样地命令着我了！看着她微笑的脸，我竟一点也不能了解她。这微笑，是含着敌意的因得到了报复底胜利而显示的呢，还是由于真情的喜悦？在我，只感觉到这是太残酷了。是的，就是要我在人前表示对于你底屈伏，也没有什么不可以，但不必用这样的方式，这未免太残酷了！

而我底朋友朱君却正在好奇地望着我。

我底烦躁顿然间急转直下，变作一种暴戾，是的，一种超过于我底性情的暴戾，填塞着我胸间。我是完全给要求舒泻我这种暴戾的冲动所占据了。我满怀着自私的心，对妻嫌厌地看了一眼，回头向朱君说道：

——我们到外面去吃饭吧。

不管他怎样的谦逊，我几乎强迫似的，给朱君戴上了帽子。在我随手把房门带上的时候，我看见妻已经垂着头坐在床边上了。我长长地嘘了一口气，有着“最后的胜利终究属于我了”似的感觉。

说着，她笑望着我：

——去试试你底手段罢，我都已经预备好了，只等你去做汤呢？

当着我朋友之前，这样地对我显示着骄蹇之态吗？对于妻底这种仪止，我完全忽略了她底喜悦，由于先前的未曾消灭的烦恼，我不觉得感到了憎厌。这是使我难堪的！叫我到厨房里去做菜吗？虽然这是我昨天答应了的，但既然有客人在这里，你就不应该当真来催我去实行这夙约啊！我不懂，妻一向是很伶俐的，这一回怎么会做这样愚蠢的事情呢？难道她是故意要当着客人面前这样做的吗？是的，女人们就有这种脾气，专喜欢在人前显示她是能够指挥她们底丈夫的，即使当没有人看见的时候，常常给丈夫鞭打都愿意。但我总希望我底妻不是由于这种愿望。

——好，别玩笑了，你去做了来就是了。我这样地暗示她。

但她似乎并不了解我底意思。她仍旧笑着道：

——去罢，只留着一个莼菜汤了，你去做了来。

从春阳馆别了朱君回家，已经是两点钟了。

开进房门去，餐桌上仍旧整齐地安放着菜肴和碗箸，好像没有动过。妻横卧在床上，掩着脸。我好像在极度的疲劳之后感觉到突然的松弛，刚才的紧张的，固执的情绪，完全消散了。我曾得到些什么呢？对于刚才的举措，在此时，却如同梦醒了似的开始自己探讨起来。我曾经铸了怎样大的错处呢？为了不肯在朋友的面前表示对于她的屈伏——实在，这也未必就是一种屈伏，而不顾惜到她底颜面，当场就使她过不去，这不是太甚了吗？我相信，我是从来没有对于她做这种行为过。不，对任何人都不会有过这种态度，我是一个很和平的人，正如邻家的那个酗酒的老木匠所说的。

妻底肩背在搐动，我知道她哭泣了。我克服了她底挣扎，把她扶起来。但对着她噙住了泪的一种不言不语的容颜，我能怎样呢？当她底深蕴着幽怨的眼对我看了一下的时候，我好像受了一重谴责。我怀着空濛的疚心，陪着勉强的笑脸道：

——怎样啦，还没有吃饭吗？难道真的非我做莼菜汤不行吗？

她并不则声，只又对我望了一眼。我很懂得，在她这眼波中，是含蓄着怎样的意味。她一定是怨恨着我不该在朋友面前这样的侮辱她；她又一定怨恨着我底不肯让她得到在旁人面前使我服从的满足。对于她底这种思想，我这时完全很明白地能够分析出来。但我所自己不解的，是刚才何以竟一点也没有顾及到这些呢？

我扶她到餐桌边坐了。我帮助她用热水泡了已经冷却的饭。听了她用着一种像小孩子哭泣之后向大人要索食物或铜币的声音说：

——莼菜还没有下锅。晚上还是要你做汤的，我一定要尝尝你做给我的菜肴底味道。

我好像骤然间失去了一切。感到通身的惆怅。潜伏在她秘密的心中的一重恋爱的新欲望到这时才揭露了出来。我是完全误会了她！我拿一个卑劣的男子底心去测度她了！自从上星期我不经意地答应了我来买菜做菜之后，她一定是早就怀着这种欲望，她几乎是变态的地渴求着我给她做的菜肴底新的味道。而这种心理，这是应当归咎于我底粗鲁，我却始终没有发现。真的。一个卑劣的男子底无礼貌的高傲壅塞了我底恋爱的灵感，我的确曾使她大大的失望了。

在允许她晚上由我来烹调莼菜汤，而抚慰得她愁容初展之后，我回到书桌边，预备继续译 Riehard A ldington 底《意像》第二章：

"The blue smoke leaps
Like swirling clouds of birds vanishing.
So my love leaps forth towards you,
Vanish and is renewed."

妻之生辰

先一日晚上，临睡的时候，忽然想起明日的事。

——蕙，明天是你底生辰呢，我对妻说。

妻已经拥着结婚之夜所用过的那条棉被睡下了。灯光下，她明艳地微笑着。

——是结婚之后的第一个你底生辰呢，不是吗？我又这样说。

——是的，但又怎么了呢？

——你说不应当贺贺吗？

——呃，贺贺吗？怎么样贺我呢，你？

——让我想……有了，我得送你一些让你称心的礼品，而你……你要请我吃美味的面。

——这样吗？那是应当的啊，我想你是预备替我请酒做寿呢……

——那样的贺你底生辰吗？如果可能是也许会得做的，唵……

——但是你送我些什么东西呢?

——明天出去看罢。

夜里，我睡梦里也想着该选择些什么适当的礼物来点缀妻底结婚之后的第一个生辰。

早上起来，晚春的阳光从窗玻璃透进了温存的微笑，我也微笑着，今天是可纪念的一个日子呀，在我底妻，今天是重要的。这是她改变了一种生活以后的第一个生辰，而在这一日，她是最美丽的。过了今日，到明年以后的今日，结婚的生活会带给她许多的烦恼，而她底美丽的容颜和青春也会逐渐牺牲在我底情爱里。这样想来，我今天不该大大地想法子贺贺她么?但是，我还是应当送给她些什么可意的赠物呢?呃!为什么今天不是星期日呢?真是烦恼的事呀!为了仅仅过着这样寒素的生活，还必须要把这样一个可纪念的日子大半消磨在办公室底写字桌旁边么?

在打着领结的时候，对着镜子，我这样沉思着又感慨着。

回过头去，妻还是酣眠着。从她底安静又娇媚的睡相里，我隐然看出了她底寂寞。这是都为了我每天每天地清早出去，薄暮归来的原故，而她这样地晏起的呀!白昼，当我忙碌在办公室里的时候，她是和一个女仆在这空屋里过着怎么一种阴郁的生活呀?我怀想着，不觉微微地感到了颤震。但我并没有勇气或能力来反对我底办公室生活。

终于又照例地吻了一次妻底梦的眼睫，离开了家，在晓风中追逐那经过办公处的电车。

在文件底送往迎来的空暇，青色的卷烟底袅袅的烟雾里，不时地浮上了妻底孤寂的生活之幻影。我竭力想驱遣了它，但是不久就证明了这是徒然的。我回复地想设法改善她底生活。从前曾经固执着以为如果为了我底生活困难而要她也出去辛苦于经济的臂助，我是宁死也不愿意的。但如今即使是为了要她解除白昼的家居的寂寞而出去做一些什么事情，实在也是颇不可能的了。说是没有事情，而每天却也有许多须要她经心的琐碎事。此外，如果采取别个方法，譬如替她介绍些女伴来破破寂寞，虽然也可能做得到，但能够说她不会随时又浮上了孤居之感，反而加重了她底凄切吗？我们底结婚，什么人都知道是自由恋爱了的，回想起来，当初对于她的追求，是何等地热烈，人家怎么会相信她如今每天所过的生活却等于一个被旧制度所支配了的嫁给一个无爱情的丈夫的女子底生活呢？在空濛的烟雾里，又浮现了妻底安静的容颜。我每一注视她，她常是微笑着。她是个好性子的人，她不愧为一个好的妻，她从不会对于我这样艰难的生活露过一次愁颜，或即使是轻微的颦眉蹙额。她并没有大的学问，但她好像是个有大智识的人，她很了解我们之间的爱情。但是，天！恕我，我是始终自信着，在她底安静的容颜之下，有着一种，不是怨，不是轻蔑，不是悲哀，而是一种空虚的惆怅。

为了这样的种种幻想底萦回，我更觉得在今天是有着让她欢喜一番的需要。就是说今天是我赎罪的一个机会，也并不算言重了吧。

处理完了一切的事情之后，走出办公处底大门，已是四点半了。在归人底急激的交流中，我又寻思着该当买什么的问题。买一个插着 Birthday Candle 的朱古律蛋糕送她罢？太贱了，太不切实用了。那么，买一套精致的“蔻丹”送她罢，买几种“何比甘”化装品送她罢。想想看，她近来企慕着什么东西吗？呃，她不是想着要一些新式的衣料吗？

无意中伸手向衣袋里一探，不觉楞住了。除了前几天预备着买原稿纸的一张一元纸币和几枚作车资用的银角外，我身上原来并未带着钱。我是靠着薪金维持生活的人，每个月的薪金领到了之后都交给了妻，除了随时取些零钱之外，一切的费用都是由她支配着，到了每个月底，看看那些微的余款，常是会两个人呆住了的。

照这样子，如何能买什么东西呢，便是尽量地打算着我底赠物底价格，这一圆钱是总难于应付的了。我站住在铺道上呆想。

终于是只得买了二束原稿纸，上了回家的电车。在车中，我自笑着何以会这样地卤莽呢。于是仔细地估量着大约还可以从妻那里提出十圆左右来完成了这次的生辰贺礼吧。计算起来，在下个月，薪金之外，还有一注别的钱可以得到，想来年活也不致于有什么影响吧。

到得家里，已经是黄昏时候。天色好像变了，气压低得呼吸都很沉重了。妻正在厨房里帮助女仆做面。看见我走进了客室，随即走出来，她笑着说：

——送我些什么礼物呢？

——没有买哩，没有带钱出去呢。

妻暂时地呆住了。

——你没有钱了吗？

——从什么地方来的呢？

我烦恼地说。回看小小的院子里，已疏疏地降下了细雨。

想回来问你拿十块钱再去买来，不是还可以提得出吗？下一个月是现在不必忧虑的。

——那里还有十块钱可以提出来给你买送我的礼物呢，一共就只有七八圆了。……

——不是还有二十多圆吗？我惊诧地问。

——呃，两个月的电费，裁缝工资，今天都拿去了。只剩了七八圆，还是要维持到下个月呢。就是米也恐怕在月内又要买，所以今天的面是还要借用作一餐夜饭哩。……

我呆住了。一切的烦恼都袭击了我。我站在妻底前面。觉得自己底羞惭，又觉得替她悲哀着。我还是对她怎么说好呢？便是今天，我还不能让她欢喜一番，徒然给她了一重失望，我不是在欺骗着她么？哎，便是连一束鲜花也不曾买回来点缀她这个生辰，还说什么别的赠物呢。

——呆立着算什么呢。我并不一定要你什么赠物呀！小小的生辰，难道真要当做一桩重大的事情吗。吃了面，不就算过了我底生辰吗？

妻随后是这样和善地说。她并不有一点失望的表现。她照样地微笑着。

愁闷的春雨从昏黑了的天上潇潇淅淅地降下来了。灯前，我和妻对坐着，吃着代替了晚饭的妻底寿面。她是如同每晚用饭似地，安闲地一口一口的咀嚼着，啜着汤。而我，虽然是她手煮的细白的面，却总也尝不出什么美味来，但我把盛面的碗侧得很高，碗边遮过了我底双眉，让她不看见我底包满了眼泪的两眼。

结婚之后我妻的第一个生辰便是这样地在愁闷的雨声中过去了。

春 阳

婵阿姨把保管箱锁上了，走出库门，看见那个年轻的行员正在对着她瞧，她心里一动，不由的回过头去向那一排一排整整齐齐的保管箱看了一眼，可是她已经认不得那一只是三〇五号了。她望怀里一掏，刚才提出来的一百五十四元六角的息金好好地在内衣袋里。于是她走出了上海银行大门。

好天气，太阳那么大。这是她今天第一次感觉到的。不错，她一早从崑山趁火车来，一下火车，就跳上黄包车，到银行。她除了起床的时候曾经揭开窗帘看下不下雨之外，实在没有留心过天气。可是今天这天气着实好，近半个月来，老是那么样的风风雨雨的没得看见过好天气，今天却满街满屋的暖太阳了。到底是春天了，一晴就暖和。她把围在衣领上的毛绒围巾放松了一下。

这二月半旬的，好久不照到上海来的太阳，你别忽略了，倒真有一些魅力呢。倘若是像前两日一样的阴沉天气，当她从玻璃的旋转门中出来，一阵冷风扑上脸，她准是把一角围巾掩着嘴，雇一辆黄包车直到北火车站，在待车室里老等下午三点钟开的列车回崑山去的。今天扑脸上的乃是一股热气，一片晃眼的亮，这使她平空添出许多兴致。她摸出十年前的爱尔琴金表来。十二点还差十分。这样早。还好在马路上走走呢。

于是，崑山的婵阿姨，一个儿走到了春阳和煦的上海的南京路上。来来往往的女人男人，都穿得那么样轻，那么样美丽，又那么样小玲玲的，这使她感觉到自己底绒线围巾和驼绒旗袍的累坠。早知天会这样热，可就穿了那件雁翎绉衬绒旗袍来了。她心里划算着，手却把那绒线围巾除下来，折叠了搭在手腕上。

什么店铺都在大廉价。婵阿姨看看绸缎，看看瓷器，又看看各式各样的化妆品，丝袜，和糖果饼干。她想买一点吗？不会的，这一点点力她定是有的。没有必需，她不会买什么东西。要不然，假如她舍得随便花钱，她怎么会牺牲了一生的幸福，肯抱牌位做亲呢？

她一路走，一路看。从江西路口走到三友实业社，已经过午时了。她觉得热，额角上有些汗。袋里一摸，早上出来没带着手帕。这时，她觉得有必需了。她走进三友实业社去买了一条毛巾手帕，带便在椅子上坐坐，歇歇力。

她隔着玻璃厨窗望出去，人真多，来来去去的不断。

他们都不像觉得累，一两步就闪过了，走得快。愈看人家矫健，愈感觉到自己的孱弱了，她抹着汗，懒得立起来，她害怕走出门去，将怎样挤进这些人的狂流中去呢？

到这时，她才第一次奇怪起来：为什么，论年纪也还不过三十五岁，何以这样的不济呢？在崑山的时候，天天上大街，可并不觉得累，一到上海，走不了一条马路，立刻就像个老年人了。这是为什么？她这样想着，同时就埋怨着自己，应该高兴逛马路玩，那是毫无意思的。

于是她勉强起身，挨出门。她想到先施公司对面那家点心店里去吃一碗面，当中饭。吃了面就雇黄包车到北火车站。可是，你得明白，这是婵阿姨刚才挨出三友实业社的那扇玻璃门时候的主意。要是她真的累得走不动，她也真的会去吃了面上火车的。意料不到的却是，当她望永安公司那边走了几步路，忽然地让她觉得身上又恢复了一种好像是久已消失了的精力，让她混合在许多呈着喜悦的容颜的年青人底狂流中，一样轻快地走……走。

什么东西让她得到这样重要的改变？这春日的太阳光，无疑的。它不仅改变了她底体质，简直还改变了她底思想。真的，一阵很骚动的对于自己的反抗心骤然在她胸中灼热起来。为什么到上海来不玩一玩呢？做人一世，没钱的人没办法，眼巴巴地要挨着到上海来玩一趟，现在，有的是钱，虽然还要做两个月家用，可是就使花完了，大不了再去提出一百块来。况且，算它住一夜的话，也用不了一二十块钱。人有的时候得看破些，天气这样好！

天气这样好，眼前一切都呈着明亮和活跃的气象。每一辆汽车刷过一道崭新的喷漆的光，每一扇玻璃厨上闪耀着各方面投射来的晶莹的光，远处摩天大厦底圆瓴形或方形的屋顶上辉煌着金碧的光，只有那先施公司对面的点心店，好像被阳光忘记了似的，呈现着一种抑郁的烟煤的颜色。

何必如此刻苦呢？舒舒服服地吃一顿饭。婵阿姨不想吃面了。但她想不出应当到什么地方去吃饭。她预备叫两个菜，两个上海菜，当然不要崑山吃惯了的东西，但价钱，至多两元，花两块钱吃一顿中饭，已经是很费的了，可是上海却说不来，也许两个菜得卖三块四块。这就是她不敢闯进任何一家没有经验的餐馆的理由。

她站在路角上，想，想。在西门的一个馆子里，她曾经吃过一顿饭，可是那太远了。其次，四马路，她记得也有一家；再有，不错，冠生园，就在大马路。她不记得有没有走过，但在她记忆中，似乎冠生园是最适宜的了，虽则稍微有点憎嫌那儿的饭太硬。她思索了一下，仿佛记得冠生园是已经走过了，她怪自己一路没有留心。

婵阿姨在冠生园楼上拣了个座位，垫子软软的，当然比坐在三友实业社舒服。侍者送上茶来，顺便递了张菜单给她。这使她稍微有一点窘，因为她虽然认得字，可并不会点菜。她费了十分钟，给自己斟酌了两个菜，一共一块钱。她很满意，因为她知道在这样华丽的菜馆里，是很不容易节省的。

她饮着茶，一个人占据了四个人底座位。她想趁这空暇打算一下，吃过饭到什么地方去呢？今天要不要回崑山去？倘若不回去的话，那么，今晚住到什么地方去？惠中旅馆，像前年有一天因为银行封关而不得不住一夜那情形一样吗？再说，玩，怎样玩？她都委决不下。

一溜眼，看见旁座的圆桌子上坐着一男一女，和一个孩子。似乎是一个小家庭呢？但女的好像比男的年长得多。她大概也有三十四五岁了吧？婵阿姨刚才感觉到一种获得了同僚似的欢喜，但差不多是同时的，一种常常沉潜在她心里而不敢升腾起来的烦闷又冲破了她底欢喜的面具。这是因为在她底餐桌上，除了她自己的外，更没有第二个人。丈夫？孩子？

十二三年前，婵阿姨底未婚夫忽然在吉期以前七十五天死了。他是一个拥有三千亩田的大地主底独子，他底死，也就是这许多地产失去了继承人。那时候，婵阿姨是个康健的小姐，她有着人家所称赞为“卓见”的美德，经过了二日二夜的考虑之后，她决定抱牌位做亲而获得了这大宗财产底合法的继承权。

她当时相信自己有这样大的牺牲精神，但现在，随着年岁底增长，她逐渐地愈加不相信她何以会有这样的勇气来了。

翁姑故世了，一大注产业都归她掌管了，但这有什么用处呢？她忘记了当时牺牲一切幸福以获得这产业的时候，究竟有没有想到这份产业对于她将有多大的好处？族中人的虎视耽耽，去指望她死后好公分她底产业，她也不会有一个血统的继承人。算什么呢？她实在只是一宗巨产底暂时的经管人罢了。

虽则她有时很觉悟到这种情形，她却还不肯浪费她底财产，在她是以为既然牺牲了毕生的幸福以获得此产业，那么惟有刻意保持着这产业，才比较的是实惠的。否则，假如她自己花完了，她底牺牲岂不更是徒然的吗？这就是她始终吝啬着的缘故。

但是，对于那被牺牲了的幸福，在她现在的衡量中，却比从前的估价更高了。一年一年地阅历下来，所有的女伴都嫁了丈夫，有了儿女，成了家。即使有贫困的，但她们都零外有一种愉快足够抵偿经济生活底悲苦。而这种愉快，她是永远艳羡着，但永远没有尝味过，没有！

有时，当一种极罕有的勇气奔放起来，她会想：丢掉这些财富而去结婚罢。但她一揽起镜子来，看见了萎黄的一个容颜，或是想像出了族中人底诽笑和讽刺底投射，她也就沉郁下去了。

她感觉到寂寞，但她再没有更大的勇气，牺牲现有的一切，以冲破这寂寞的雰围。

她凝看着。旁边的座位上，一个年轻的漂亮的丈夫，一个兴高采烈的妻子，一个活泼的五六岁的孩子。她们商量吃什么菜肴。她们谈话。她们互相看着笑。他们好像是在自己家里。当然，他们并不怪婵阿姨这样沉醉地耽视着。

直等到侍者把菜肴端上来，才阻断了婵阿姨底视线。她看看对面，一个空的座位。玻璃的桌面上，陈列着一付碗箸，一付，不是三付。她觉得有点难堪。她怀疑那妻子是在看着她。她以为我是何等样人呢？她看得出我是个死了的未婚夫底妻子吗？不仅是她看着，那丈夫也注目着我啊。他看得出我并不比他妻子年纪大吗？还有，那孩子，他那双小眼睛也在看着我吗？他看出来，以为我像一个母亲吗？假如我来抚养他，他会不会有这样活泼呢？

她呆看着坚硬的饭颗，不敢再溜眼到旁边去了。她怕接触那三双眼睛，她怕接触了那三双眼睛之后，它们会立刻给她一个否决的回答。

她于是看见一只文雅的手握着一束报纸。她抬起头来，看见一个人站在她桌子边。他好像找不到坐位，想在她对面那空位上坐。但他迟疑着。终于，他没有坐，走了过去。

她目送着他走到里间去，不知道心里该怎么想。如果他终于坐下在她对面，和她同桌子吃饭呢？那也没有什么不可以。在上海，这是普通的事。就使他坐下，向她微笑着，点点头，似曾相识地攀谈起来，也未尝不是坦白的事。可是，假如他真的坐下来，假如他真的攀谈起来，会有怎样的结局啊，今天？

这里，她又沉思着，为什么他对了她看了一眼之后，才果决地不坐下来了呢？他是不是本想坐下来，因为对于她有什么不满意而翻然变计了吗？但愿他是简单地因为她是一个女客，觉得不大方便，所以不坐下来的。但愿他是一个腼腆的人！

婵阿姨找一面镜子，但没有如愿。她从盆子里检起一块蒸汽洗过的手巾，揩着脸，却又后悔早晨没有擦粉。到上海来，擦一点粉是需要的。倘若今天不回崑山去，就得在到惠中旅馆之前，先去买一盒粉，横竖家里的粉也快完了。

在旅馆里梳洗之后，出来，到那里去呢？也许，也许他——她稍微侧转身去，远远地看见那有一双文雅的手的中年男子已经独坐在一只圆玻璃桌边，他正在看报。他为什么独自个呢？也许他会得高兴说：

——小姐，他会得这样称呼吗？我奉陪你去看影戏，好不好？

可是，不知道今天有什么好看的戏，停会儿还得买一份报。他现在他看什么？影戏广告？我可以去借过来看一看吗？假如他坐在这里，假如他坐在这里看……

——先生，借一张登载影戏广告的报纸，可以吗？

——哦，可以的，可以的，小姐预备去看影戏吗？……

——小姐贵姓？

——哦，敝姓张，我是在上海银行做事的。……

这样，一切都会很好地进行了。在上海。这样好的天气。没有遇到一个熟人。婵阿姨冥想有一位新交的男朋友陪着她在马路上走，手挽着手。和暖的太阳照在他们相并的肩上，让她觉得通身的轻快。

可是，为什么他在上海银行做事？婵阿姨再溜眼看他一下，不，他的确不是那个管理保管库的行员。那行员是，还要年轻，面相还要和气，丰度也比较的洒落得多。他不是那人。

一想起那年轻的行员，婵阿姨就特别清晰地看见了他站在保管库门边凝看她的神情。那是一道好像要说出话来的眼光，一个跃跃欲动的嘴唇，一副充满着热情的脸。他老是在门边看着，这使她有点烦乱，她曾经觉得不好意思摸摸索索地多费时间，所以匆匆地锁了抽屉就出来了。她记得上一次来开保管箱的时候，那个年老的行员并不这样仔细地看着她的。

当她走出那狭窄的库门的时候，她记得她曾回过头去看一眼。但这并不单为了不放心那保管箱，好像这里边还有点避免他那注意的凝视的作用。她的确觉得，当她在他身边挨过的时候，他底下颔曾经碰着了她底头发。非但如此，她还疑心她底肩膀也曾经碰着他底胸脯的。

但为什么当时没有勇气抬头看他一眼呢？

婵阿姨底自己约束不住的遐想，使她憧憬于那上海银行底保管库了。为什么不多勾留一会呢？为什么那样匆急地锁了抽屉呢？那样地手忙脚乱，不错，究竟有没有把钥匙锁上呀？她不禁伸手到里衣袋去一摸，那小小的钥匙在着。但她恍彿觉得这是开了抽屉就放进袋里去的，没有再用它来锁上过。没有，绝对的没有锁上，不然，为什么她记忆中没有这动作啊？没有把保管箱锁上？真的？这是何等重要的事！

她立刻付了账。走出冠生园，在路角上，她招呼一辆黄包车：

——江西路，上海银行。

在管理保管库事情的行员办公的那柜台外，她招呼着：

——喂，我要开开保管箱。

那年轻的行员，他正在抽着纸烟和别一个行员说话，回转头来问：

——几号？

他立刻呈现了一种诧异的神气，这好像说：又是你，上午来开了一次，下午又要开了，多忙？可是这诧异的神气并不在他脸上停留得很长久，行长陈光甫常常告诫他底职员：对待主顾要客气，办事不怕麻烦。所以，当婵阿姨取出她底钥匙来，告诉了他三百零五号之后，他就检取了同号码的副钥匙，殷勤地伺候她到保管库里去。

三百零五号保管箱，她审察了一下，好好地锁着。她沉吟着，既然好好地锁着，似乎不必再开吧？

——怎么，要开吗？那行员拈弄着钥匙问。

——不用开了。我因为忘记了刚才有没有锁上，所以来看看。她觉得有点歉仄地回答。

于是他笑了。一个和气的，年轻的银行职员对她微笑着，并且对她看着。他是多么可亲啊！假如在冠生园的话，他一定会坐下在她对面的。但现在，在银行底保管库里，他会怎样呢？

她被他看着。她期待着。她有点窘，但是欢喜。他会怎样呢？他亲切地说：

——放心罢，即使不锁，也不要紧的，太太。

什么？太太？太太！他称她为太太！愤怒和被侮辱了的感情奔涌在她眼睛里，她要哭了。她装着苦笑。当然，他是不会发觉的，他也许以为她是羞赧。她一扭身，走了。

在库门外，她看见一个艳服的女人。

——啊，密司陈，开保管箱吗？钥匙拿了没有？

她听见他在背后问，更亲切地。

她正走在这女人身旁。她看了她一眼。密司陈，密司！

于是她走出了上海银行大门。一阵冷。眼前阴沉沉地，天色又变坏了。西北风。好像还要下雨。她迟疑了一下，终于披上了围巾：

——黄包车，北站！

在车上，她掏出时表来看。两点十分，还赶得上三点钟的快车。在藏起那时表的时候，她从衣袋里带出了冠生园的发票。她困难地，但是专心地核算着：菜，茶，白饭，堂彩，付两块钱，找出六角，还有几个铜元呢？

蝴蝶夫人

李约翰教授是昆虫学博士。

李约翰博士底专门研究是蝴蝶，因为李约翰博士是美国留学生，所以他研究有素的蝴蝶都是合众国蝴蝶，加拿大蝴蝶，并及南美洲蝴蝶。

李约翰教授的博士学位是从他所搜集的五千多种蝴蝶里产生出来的，而他的教授地位是从他的博士学位里升起来的，所以他很爱惜他底蝴蝶博物院。

五千余种，四百余玻璃匣的蝴蝶标本，编着 ABC，A’B’C’，A”B”C”的二十余巨册的记录卡，全副的捕虫器和制标本器，就组成了李约翰教授的研究室。

李约翰教授在留学的时候并不很有钱，因为他家道很寒微，而是官费出洋的，做了教授之后也还是没有钱，因为他太太花得凶，所以李约翰教授租不起大住宅，他的研究室就不得不附设在会客室里。

说起他底太太，李约翰教授也不得不感谢他底蝴蝶。

他底太太原先是一个同事底妹妹，因为跟了她哥哥来参观蝴蝶，于是彼此认识了。李约翰教授正在感觉到需要一个异性的安慰，而她也很同情于教授博士。于是她时常来参观蝴蝶。于是，有一天，李教授特别指点一枚蝴蝶标本给她看，并且讲着这样的一个奇妙的故事：

你看，这蝴蝶，黄金的翅，黑白的花纹，不是很美丽的吗？你看底下注着它底学名：Argynnis a Phrodite，你认识 Aphrodite 这个字吗？它底普通名字，就叫做 Aphrodite。这是希腊恋爱女神底名字。一个传说，说这蝴蝶就是那女神幻化的，但另外一个传说，却以为这不过指示它是蝴蝶中间最爱娇的。你知道，昆虫们也像人一样，有耽美的心，有恋爱的感觉。所以，在蝴蝶们中间，这有着金黄之羽衣，白银玄玉之锦绣的女郎，就是恋之目标，情之大神了。你看，它底纤细而修长的触须，也许就是它底抚爱一个情人的玉臂罢。

讲着这样的故事，李约翰教授不禁大胆地伸手去抚摩她底手臂了。而这天，她正是穿着有黑白图案纹的黄色的罗衣，于是她羞涩地笑了。

于是她做了李约翰教授的太太。

李约翰教授衷心的地感恩着他底蝴蝶，他差不多每天，从学校里，或是陪着他太太，一回家就去坐在他那广阔的研究桌上，整理着，抚爱着，欣赏着他底蝴蝶。

Chlorippe Celtis, Thorybes pylodes, Lerodea eufala.

结婚之后六个月，李约翰教授渐渐地感觉到陪伴太太的趣味远不如研究一枚最普通的蝴蝶了。

最普通的蝴蝶倒有着不少的美德哪！

但李教授太太底美德只有一样，那就是会花钱，不，应当说会出门花钱。因为在家里，太太是很吝啬的，她不大情愿替李教授买一听较好的纸烟。但一出门——她是每天都要出门的，她就会用了许多钱，除了身上插戴的一部分看得见的首饰以外，还有许多钱她是怎样花了的，李教授简直是莫明其妙。可是，如果查问她起来呢，她自会得报告出一篇很可以公开的账来，例如吃了五块钱冰淇淋啦，十二块钱烫了头发啦，或是回力球输了二十四元啦……

李约翰教授的结婚是在四月里。一个暑假，他所过的生活是像梦一般甜蜜的。但是现在，开学了只有一个多月，李教授已经向会计处借支了两个月以后的薪俸，而且前两天曾经接到会计处的通知，非到十一月份，恕不再许预支了。

同时，在教务上，李约翰教授最近也受了一个魔难。李教授所研究的，不是曾经说过，是美国的蝴蝶吗？可是不幸他教的是中国学生。中国学生要求李教授指导他们研究中国的蝴蝶。这却叫李教授为难了。中国有蝴蝶吗？有多少种？李教授虽然曾经毅然地对学生说过：

"要研究蝴蝶就非研究美国的或欧洲的蝴蝶不可，那是又美丽，种类又繁多；至于中国蝴蝶，实在是不值得研究的。"可是，对于他底训话，学生大多嗤之以鼻。李教授觉得地位有动摇的危险，就只得见风使舵，答应指导学生研究中国蝴蝶。他一面查外国书目，好容易找到几本外国人著的关于中国南部和中部的昆虫的书籍，就托一家西书铺专诚去代定了来，一面天天到郊外去捕捉了许多中国的蝶蛾类昆虫，一枚一枚地与他所收藏的美国蝴蝶比较，给它们类似的定名。

因为这样的烦恼和忙碌，李教授开始拒绝陪他太太上街或是去看朋友了。

"约翰，有工夫没？"

"哦，没有，darling，我还得写三十个记录卡。"

"你不是说陪我看电影去吗？"

"哦，"他看看窗外的天色，"还早，索性吃了夜饭看九点一刻的罢。"

他太太总是撅起了嘴："九点一刻，我要回来睡觉了。你看家罢，也许，也许我不回来吃饭。"她耸耸肩膀走了。

李教授看她走出了门，总用他底派克笔头叩击着烟灰缸，微笑着："九点一刻你会回来吗？"

于是他又沉浸于他底研究了。

Anartia jatrophae, Papilio Palamedes, Neominois ridingsi.

李约翰教授并不是不爱他底太太，虽然过了九点一刻，十点一刻，甚至十一点一刻，他太太没回来，他也不上楼去睡觉。

反之，他太太并不是不爱她丈夫，最迟到十二点一刻，她总回家的。她按着门铃，兹——，于是李教授一手拿着蝴蝶镊子，赶出来给她开门。

他们在门廊里照例地接个吻。

李教授跟着太太走进那研究室，会客厅，并起居室。他太太总先走到他底陈列满了蝴蝶匣，青酸樽，和巨大的书籍的研究桌边，随意地看一眼：

“今天工作完了没有？还没有完吗？”她看一看手表，“快一点钟了。明天早晨要上课，为什么不早睡？”

“完了，完了，”李教授放下了镊子，“早就完了，等着你啊。”

于是她把李教授拖在沙发上坐了。她从手提袋里取出小镜子和绣花小手帕来擦着鼻子和嘴唇，溜一瞥眼波看着李教授。

“今天发现了什么有趣味的蝴蝶吗？”

“有，有，”李教授从桌上搬了一个小玻璃匣，指着一个新做成标本的白翅黑点花纹的蝴蝶给他太太看。“这是中国蝴蝶里最高贵的一种，普通名字叫做‘庄周蝶’。学名还没有定，我还要查一查拉丁文法。你晓得庄周吗，古时候有名的哲学家？这个蝴蝶就是他变的。”

“哦，他为什么变做蝴蝶呢？”他太太打着呵欠问。随手把手提包放在小圆桌上。

“他吗？他有个美丽的妻子，据说。庄周是个哲学家。哲学家是特别的富于想像。因为他底妻子太美丽了，他想像出她一定有情人在外边。所以，据说每当他妻子出门之后，他总是躺在床上运用他底哲学思想，使他底灵魂化成蝴蝶，从窗间飞出去，追踪着他底妻。后来，不幸得很，庄周比他底妻先死，他因为连灵魂都爱着他底妻，所以永久地化作了这样的象征着纯洁的恋爱的蝴蝶，永久地追踪着他底美丽的妻底身后。”

李教授讲了这个故事。幽默地对他底太太看，不知从什么时候起，他太太已经懒洋洋地闭了眼睛仰靠在椅背上了。

他太太并不是不愿听她丈夫讲话，也不是真的睡熟，她不过是疲倦极了而已。所以，当她丈夫停嘴了之后，寂静了一刻，她又睁开眼睛来。她替她丈夫把那玻璃匣放在小圆桌上，随手把她底手提包拿下来，从那里摸出一条留兰香糖，送在李教授嘴里。

“你明天吃糖吗，沙利文明天卖半价？”她问。

李教授咀嚼着糖，从牙齿里回答：“哦，好的。”

他太太把手提包再打开来：

“你看，我又没钱用了。明天礼拜五，后天礼拜六了。今天是月底，你……”她斜倚在李教授怀里，把两只纤细的脚搁在沙发臂上。“darling，明天再给我五十块钱好不好?”

她伸出手去抚摩她丈夫底下颔。

可是，不知从什么时候起，她丈夫已经懒洋洋地闭了眼睛仰靠在沙发背上了。

她丈夫并不是不愿听他太太的话，也不是真的睡熟，他也不过是疲倦极了而已。

于是他太太悄悄地上楼了。于是他站起来收拾好那些乱摊在桌子上的蝴蝶。

Vanessa antiopa，Grapta faunues，Debis portlandia.

秋季过了，田野里找不出一羽蝴蝶了，李约翰教授不再在每天下午带了捕虫网出去了。但是他并不因此而多些闲暇，因为这时候他所定的关于中国蝴蝶的外国书陆续寄到了。此外，因为一个朋友的介绍，他还在一所教会大学里给一个出缺的教授代几点钟课。

多一处教席，就是多一部分收入；愈勤勉地研究中国蝴蝶，就是在大学里的地位愈稳固；李约翰底太太很明白这里的因果，所以，她现在不再常常勉强她丈夫一块儿上街去买东西，或看戏了。间或有一二次，为了表示亲热的缘故，她邀请她丈夫而被拒绝了，她亦很能了解他，绝不再撅起嘴唇，露出小气量的女人们所固有的悻悻之色了。此外，还有一个最正确的理由，那就是她近来新认识了一位体育家陈君哲，倘若她有需要的话，他是常常高兴陪伴着她的。

陈君哲虽然与她丈夫一样地是美国留学生，而且一样地是大学教授，但他没有她丈夫那么样忙，那么样迂腐。他常常是很高兴，很愉快地打球，驾车，游泳，竞技或跳舞。她在棒球场上看大学足球赛的时候认识他，她在报纸上体育栏里认识他，她在新闻电影片中认识他，但经过了正式的介绍而彼此相识，却是在他到她家里的那一天。

某星期日的下午，体育教授陈君哲突然闯进了李约翰教授底研究室。

“哈啰，普洛发叟李，你好，我来参观你收藏的蝴蝶。”

“喔，惠尔康姆！惠尔康姆！你是难得来的。”李约翰教授放下了正在阅读的德文本《中国之蝶蛾》，从沙发上站了起来。

自然，并坐着的李教授太太也站了起来，以爱娇的熟识的眼光注视着她底来客。于是李教授握了客人底手，望着他太太：

“这位是，同事，陈君哲先生，”他又旋向客人：“这是内人。”

“我早就认识啦，陈先生是有名的体育家。”她在伸出手来的时候，倩笑着说。

一回头，陈先生看见了桌上罗列着的蝴蝶箱！立刻就呈现了踢进一个足球似的兴会：“啊，比乌的福尔，比乌的福尔!”他搓着手去俯视李约翰教授的蝴蝶标本了。

李约翰教授抽着纸烟陪客人，她太太呢？上楼了。她觉得应当换一身衣裳。

“普洛发叟李，你真是个美术家。不过……”陈君哲教授回身对李约翰教授打量了一下，重重地拍着他底肩膀。这使李约翰教授觉得有点立不住。“不过你太不注重体育了。”

李约翰教授喷着熟练的烟圈说！“可是我倒终年不会生病的。”

“但是你底背驼了，你太瘦了。不行，非运动不可!”陈君哲教授装着严肃的态度说。

李约翰教授底太太换了衣服进来了。

“蜜昔司李，你说是不是，蜜司特李应该好好的运动一下?”那体育教授说。

“运动？他从来不喜欢运动，那也没有法子的。”她说。“陈先生，你倒是一个很好的体育宣传家。”

陈君哲教授喷笑起来：

“那么，我倒要向密昔司李宣传一下了。密昔司李喜欢打网球吗?”

“网球？从前在学校里的时候倒很喜欢的，可是，好久不玩了，没有常常在一块儿的朋友，就没有那么样的兴致了哪。”

“你看，因为你不运动，连你太太也牺牲了运动，这不应该。”陈君哲教授笑着对李约翰教授说。

“什么话，我并不禁止她运动啊！”李教授抚摩着一个挺厚的书脊说。

“这样说来，我今天就冒昧地请密昔司李去打网球行不行？”那常常是高兴着的体育教授向李太太说。

“今天？不行，我还要到百货店里去。况且……况且，我的球太坏啦……”她忸怩地说。

“客气客气，现在时光还早，倘若密昔司李高兴的话，我可以先奉陪到百货公司里去，随后我们再到体育会里去打球。”

李太太望望她丈夫。他微笑着，很温雅，很大方，显现着一个优越的学者的气概。她不禁从心底里崇敬他了。

“你去不去？”她问他。

“我去没有用，我不会打球。而且……而且这里还有一点事情没有了。”他文雅地说。

于是，这是李教授太太第一次坐着陈君哲教授的新汽车出去。

汽车的喇叭在矮矮的木栅门外响了。一阵橡皮轮碾过柏油路的微颤的声音。李约翰教授从沙发上检起了《中国之蝶蛾》，回到桌子上继续他底研究。

Lycoena scudderi, Colias philodice, Pyrhanoea andria.

蝴蝶跟着春天来了。但李约翰教授却不再有带着捕虫网到郊外去的兴致。他诧异从前孜孜矻矻的研究精神都到那里去了。他从大学里上了课出来，明亮的，柔软的街路，使他好像不敢践踏得太重似的，缓缓地漫步着，流动着各种不可思议的香味的空气，使他把呼吸调节得格外停匀。他孤独地行走着，感觉到真的难受了。在一家服装店里，他随随便便地买了一条手杖。

新买的手杖在阶石上叩响着，做出清脆的声音，李约翰教授决定回来带他底太太一同出去玩一个下午，不，不但一个下午，而且要一个晚上。

可是李约翰教授在他家里寻不到他底太太。

“太太出去了？”李约翰教授从楼梯上下来问他底女仆。

“出去了。”女仆恭恭敬敬地回答。“坐了陈先生的车子去的。”

“陈先生又来过了？”

“是，上午就来的，在这里用了饭。”

李约翰教授走进他底研究室兼会客厅，沙发椅左方的小茶桌上放着两杯饮剩的红茶。他把这茶倒在痰盂里，绕着他底桌子走了几圈，点了一枝烟沉下在沙发上了。

几次想利用这闲暇，把拟著的论文《中国蝶蛾之研究》底大纲计划一下，可是头脑里空空洞洞的，再也抽理不出端绪来。李约翰教授不禁感觉到莫明的烦躁，他起来立在窗槛边，外面小院子里盛开着的迎春花间，正有一羽下等的蝴蝶在从一个花蕊上飞到另一个花蕊上去。

蝴蝶，蝴蝶，蝴蝶！永远是蝴蝶哪！李约翰教授的头脑里忽然间给整千累万的飞舞着的蝴蝶占据了。

Coea acheronta, Neonympha gemma, Atrytone vitellius.

李约翰教授如从梦中醒来，伸了个懒腰。曳着他新置的手杖出门了。他穿行于轻盈而都丽的士女底花丛中，忘了路之远近，自然而然地走进了公园。

好久不到公园里来了。对着广大的平展的草地，红紫缤纷的花圃，李约翰教授不知道应该先往那里走。他只感得孤寂，是的，太孤寂了。他在一株垂柳下觅到了适宜于一个人坐的椅子。

由于不注意的浏览，他看见了他太太和陈君哲教授，在一个椭圆形的湖边的灌木丛中。他们坐在一只适宜于两个人坐的游椅上，他只能看到他们底侧影。

看着这近似偎倚着的二人的侧影，李约翰教授是宁愿看他们底正面或背影的。他心中踌躇着要不要换一个地方，或者竟先离去了公园，当作一个绅士，这样的行止是必需的。

灌木丛中的花间，飞翔着几只蝴蝶，陈君哲教授很不费力地用网球拍挥落了好几只。他从草地上拾起每一只粉翅翕张着的蝴蝶来，递给李约翰太太，于是他们细声地讲着许多话。

李约翰教授很羡慕陈群哲教授底好兴致，自己呢，虽则年纪相仿，却不免有些衰老之感了。那样兴奋而容易地拍取蝴蝶，好像是从来没有经验过的事情。

于是风吹送一阵他太太底笑声过来。

李约翰教授想像得出，虽然他听不清楚，他们俩在说些什么话。这是她底声音，是的，她曾经从他那里得到许多蝴蝶的智识，她一定是在讲一个蝴蝶的故事给他听：

你看，这是一种叫做“庄周蝶”的东西。庄周是古时候一个最多疑的人，你知道，最多疑的人就是哲学家。庄周是不论在读书的时候，或是做工的时候——不错，庄周是很穷的，他每天要做工才能生活，他总喜欢他底妻子陪伴着在旁边。可是他底妻子是一个活泼的女子，她常常要出去玩，她一生所需要的就是玩哪，可是庄周却疑心她了。他于是常常化做了蝴蝶，跟着他妻子的踪迹侦察她，其实，他是侦察不出什么来的哪，这傻虫儿！

于是风吹送一阵陈君哲教授的笑声过来。

接着是，各人肩上搁了一个网拍，悠闲地离开了那灌木丛，向着公园大门去了。

李约翰教授绕行过湖，沉思地走到他们所曾坐过的椅子上坐了。草地上横陈着那些受创伤的被抛弃了的蝴蝶，白羽黑点纹的蝴蝶。李约翰教授用了深切的同情心，将它们一一的检起来，并且想给它们定一个恰当的名字。

Timetes Corosia, Pieris protodice Kricogonia lyside.

雄　鸡

兴发婆婆耽心着她兄弟今天要来，所以没睡到八点钟就起身了。她先到麦场上去视鸡。她预备把那只雄鸡杀了，请她兄弟吃饭。走出到麦场上，那只白毛乌骨鸡和两只婆鸡都好好地在着，只是不看见那雄鸡。她四下里瞭望了一周，何处有她们那雄鸡的踪迹。她回到堂屋后轩去看鸡棚，棚里空空地也发现不出她的雄鸡。她就呆立在鸡棚边叫起她底孤孀媳妇来：

“阿毛娘！阿毛娘！”

她媳妇儿正在厨房里替她盛早饭。听了她的叫喊，就匆急地盖着锅盖，一边回话：

“嗳！嗳！什么事？”

“啥事体！什么事！……鸡呢？雄鸡呢？”

阿毛娘把右手三个指头端着一碗顶了三根腌菜的炒饭，两个指头夹着一双毛竹筷，左手牵着她的八岁儿子阿毛，从厨房里走了出来。

厨房是靠东的侧厢房，从厨房里走到堂屋里，必得先走过堂屋的后轩。当她走出来的时候，兴发婆婆还在怒气冲冲地对着鸡棚呆看，好像坚决地想看出那雄鸡失踪的原故来似的。

“早上鸡棚是你开的吗？”她问她的媳妇。

“是我开的。”阿毛娘站住了。露出了疑虑和恐怖的脸色。“四只鸡都是好好的，没有少。”

“没有少，那么雄鸡到那里去了？”

“雄鸡？……”阿毛娘看着她婆婆的凶横的眼色，不觉讷住了。她洒脱了阿毛的小手：“阿毛，到场地上去看看，有雄鸡没有？不要又躲到柴堆里去了。”

于是她管自己端着碗筷走出到堂屋里，一路走一路喃喃地说：“这雄鸡最怪了，偏不和别的鸡在一起。常常独个儿走开去，要人寻。前两天不是也不见过吗？到底在柴堆里寻着了。”

兴发婆婆本来想对她的媳妇发作一顿，给她这样一说，也就沉默了下去。她想起前两天为了寻这只雄鸡，曾费了她们婆媳妇和孙儿子个人好许多工夫，终于的的确确地寻到了。这一次，在阿毛没有回来以前，似乎也不好就断定那雄鸡是失踪了。她随后就跟了她媳妇出来，坐在那白木板桌的上横头吃早饭。

阿毛娘靠着那扇半截门，向外眺望着那在李家坟篱笆外边的柴堆旁边乱翻乱赶的她底儿子阿毛。那白毛乌骨鸡和两只婆鸡好好的在门外场地上啄谷粒吃。

“阿毛！阿毛！有没有？”她高声地问。

阿毛并不就回答，手里拿着一根枯树枝跑来了。跑到了场地上，才气喘着说：

“没有鸡，不看见……”

“没有鸡，那么你在那里赶些什么？”

“我……我看见一条蛇钻进柴堆里去了……”阿毛跨进了门，满头是汗，拖着鼻涕，一边说一边牵着裤腰。枯树枝横倒在他脚边。

当他母亲给他抹了鼻涕，束着裤带的时候，他底祖母就又嚷起来了。

“蛇！你再去玩蛇，总有一天给赤炼蛇咬了。叫你别这样顽皮，偏不听话。你寻了鸡没有？……”

“寻的，到处都寻过了。连阴沟里都寻过了。是没有。也许，也许给蛇盘去了。……”阿毛额角上涨满了青红色的脉管说。他是很性急的孩子，有人说他什么事没做到家，他就得抵死地给自己辩解的。“我看见的，那条蛇肚皮涨得很大，很大……”说着他用手比着他所看见的蛇肚皮的大小。

“别瞎说，蛇吞不下那么大的鸡。”他母亲说，接着又独白似地：“明明我放出来的四只鸡，那里会少？我还看它们一起在场地上的。难道在厨房里的时候给什么人……”

兴发婆婆已经吃完了第一碗炒饭，她把空碗递给阿毛娘，抢着说："难道会飞上天去不成。总是给人偷去了。看见有什么人走过没有，阿毛？"

"没有，没有人走过……有的，不错，祠堂里的黄大叔进城去，走过的。可是他没有偷，我看见的。"

"黄大叔会偷鸡吗，他自己的堂里鸡多得赶不开。我早就叫你们留心些，时世不好，随便什么东西都有人要偷。早上总要有个人在外边看顾一眼。阿毛，你一早在那里？"

"我一直在场地上，没走开。只有公公进城的时候，叫我到后边去掘笋。"阿毛说。

阿毛娘盛了第二碗炒饭出来，她问：

"你看见公公有没有捉鸡去呢？"

兴发婆婆一手接了碗，就鼻子里冷笑道：

"哼，还要怪人家咧，不要自己偷捉了去讨好汉子，这许多日子眉来眼去，难道还瞒得住人！现在是，时世不对，我也管不了你，要走就走，只不要在这屋子里出丑。今天一只鸡，明天一只猪，人家没有这许多家私帮你养老公。"

阿毛娘愕然地对兴发婆婆看看，眼眶里充满了眼泪，半晌才说得出：

"婆婆说什么话！我要嫁人早就嫁了，为什么还会等到现在。你要我走，你就赶我好了，我会到城里去住人家的，何苦一定要说这样的话。阿毛爹是你自己的儿子，你还要给你死了的儿子倒霉吗？”说着她哭起来了。

“死了的儿子！”兴发婆婆气往上升了。她最恨人家说她的儿子死了，这无异是暗示她没有得儿子的福气：“你倒还要这样说！没有你这丧门吊客的扫帚星，我的儿子会跷辫子吗？你总算……哼！好口才，我看你嫁一个死一个，一世的麻衣命！”

阿毛娘伏在条椅上大哭起来，阿毛吓得站在桌子角边，一声不响地呆看着他妈妈，又看看他祖母。祖母的一张瘪嘴，每当骂人的时候，一张一合的形状，总使他觉得很可怕似的不敢多看。

阿毛娘只是哭泣，没说话。兴发婆婆觉得火气发不下去，怪不舒服的。无论如何，一只雄鸡是失掉了，停会儿兄弟来了，没有好菜请他吃，想到这一层，她格外烦恼起来。她觉得如果不查出这雄鸡是谁偷的，实在有些不甘心。一回头，她看见阿毛娘正哭得起劲，抹着鼻涕，吐着涎沫。

“哭？算你会哭。哭了就抵赖得过吗？大天白亮，又没有人来过，难道鸡会得自己逃了吗？”她一拐一拐地走向大门边去，这样骂着。

于是阿毛娘哭得更高声了。她赌着种种誓，并且还近似诟骂似地埋怨她婆婆冤枉她。最后索性号啕大哭着奔进卧房里去了。

兴发婆婆也并不一口咬得住鸡是她媳妇偷的，因为她连得她媳妇究竟与那种菜园的阿顺有没有关系还不能证实。不过平常看在眼里，好像那阿顺和阿毛娘的情状很有点腻，虽然她晓得阿毛娘一向是很规矩的，也不免有点猜疑起来。而今天，因为一只鸡的失踪，便破口叫骂了出来。

这样的局面对于那雄鸡的事情有什么好处呢？她尽管骂媳妇，媳妇尽管哭，尽管说是冤枉的；雄鸡是不会因此而出现的。

兴发婆婆底最大目的是要雄鸡原璧归赵，不得已而求其次，才是那偷雄鸡的人。

“阿毛，看好屋子，别走开去。”她吩咐了她底孙儿，一拐一拐地走出到场地上。徒然地向四下里望了一回，还只是三只鸡，在争抢一条蚯蚓似的东西。她沉吟了一会，独自个喃喃地说：

“我晓得的，总不过几个人。村庄上从来没有过路的偷鸡贼。难道我呆到这样子，会料不透吗？我倒不相信，一定要查个水落石出。”

兴发婆婆噜苏着绕过了屋后的竹园，走过一条小河上的独木桥，转过三五个大柴堆，城里张董事的佃户周得福家的两条草狗便摇头摆尾地过来迎接了。随即周得福底女儿在屋檐下看见了她：

“婆婆那里去？”

“不到那里去，我寻寻鸡看。”

这时，周得福底妻子从屋后转出来，挟着一大捆霉烂了的稻柴，预备摊在场地上晒干。

“不见了鸡吗？怪不得刚才听见你们屋里闹烘烘的。”周得福底妻子插嘴说。

兴发婆婆底皱缩的嘴唇角微微地牵动了一下，她底话匣子又打开来了：

“你们听见的吗？都是阿毛娘不好，不管管牢，一只雄鸡给人家偷了。今天刚刚我兄弟要来，他自从旧年八月里到上海去做生意之后，一直没有回来过。前两天托城里的王裁缝带信来，说今天要摇会，要回乡下来……”

“噢，是的，这脚会我们得福也有份的。要下午才摇呢，在吊桥边的那座茶馆里……”周得福底妻子插嘴说，这时她已经走近到兴发婆婆身边，她把腋下的一大捆稻柴放在地上，鬼鬼祟祟地把嘴凑近了兴发婆婆底耳朵接着说：“这脚会不小呢，一年两回，五十年，上一回是生林摇着的，可是听说今天生林交不出会洋，不知怎么样呢。”说着她还对着远远地隔开了半里多田埂的一座茅舍看了一眼，好像怕生林正站在那里偷听似的。

兴发婆婆也顺着她底眼光看着那小屋，心里分外地气恼了：“什么！生林也有份？他摇着了会倒交不出，他倒聪明。哼，不要脸的，真是一对！”

“怎么？你说什么，一对？”周得福底妻子怀疑地问。“你说生林底妻子吗？”

“要不是她，谁偷了我们的雄鸡呢？今天一早。我为了兄弟要来，想杀一只鸡请请他。出来一看，偏偏雄鸡不见了。我怪阿毛娘不好，骂了她几句，她倒造起反来了。拍台拍凳的哭咒，惊动了邻舍人家。真是……大嫂，我们阿毛娘近来愈弄愈不对了，她索性敢不把我放在眼里，好像没有我这姑婆似的……你们看，再过几天，她要替我们出丑了。一家人家……”

兴发婆婆一说到她媳妇，就觉得生气。滔滔不绝地把话支节开去，说她媳妇的背话了。可是周得福底妻子却不要听这些话，她要晓得她说生林底妻子怎样。

“唔，那么……难道……生林底妻子……”她问。

“自然，一定是的，我不会冤枉她。”兴发婆婆这才搭到本题上来。“我们阿毛说看见她早上在我们场地上走过。大清早的，她到我们场地上来做什么？”

“那么，那么……”忠厚的周得福底妻子迟疑地问，“阿毛说看见她偷鸡的吗？”

“看见她还敢偷吗？”

“那么，那么……”

“我去看看，我总找得着把柄的。我不会冤枉她。我早就看出蹊跷来了。这么一份人家，旧年到今年，欠了这许多债，虽说有点零碎生活做，可是……我总不相信没有花样。”

兴发婆婆很有把握似地，一边说一边就移动了脚步望生林家走去。她好像自己底孙子确实曾告诉她：生林底妻子早上曾走过她们底场地的。她幻想得出她底神情：雄鸡正在从场地上走向竹林子去，一路啄着小虫蚁。生林底妻子从独木桥上走过来，一看见那美丽的肥壮的雄鸡，她就生心了。她一定先在场地上走一遭，看看有没有人。可巧阿毛在屋后取笋，阿毛底公公或许正在整理菜担，她就趁机会一手把鸡攘了去。

这样设想着，兴发婆婆不觉加紧了她底一拐一拐的脚步。她恨不得立刻就看见生林妻子，没说话就打她一下嘴巴。这时候，看着她怒火冲天地往前去的是周得福底妻子，这忠厚的乡下妇人替她担着心事，恐怕她冤枉了人家会闯出什么祸事来。

当兴发婆婆从田陌间走到生林家门前的场地上，生林底妻子正在堂屋里，做活计，一眼看见兴发婆婆，就走出到阶石上。

“婆婆好久不来了。”她手里拿着针线说。

“唔，好久不来了，”兴发婆婆冷冷地说，一脚踏进了堂屋，眼睛东张西望地寻找她底雄鸡。

诧异着的生林底妻子问道：“婆婆，你寻什么东西?”

“哦，不寻什么，不寻什么……”说着她只管自己直穿进屋后去，向竹篱笆围成的院子里寻瞧着。

生林底妻子焦灼地跟了进来，她又问："你找什么，婆婆？"

兴发婆婆狂气似地回转头来，注视着她，好像想以严厉的眼光慑服她似地问；"你看见我们的雄鸡没有？"

年青的生林底妻子立刻就觉得受不了这样的侮辱。她把手里的针线望一只矮凳上一扔，沉下了脸色嚷起来：

"什么话，你不见了雄鸡，到这里来看什么？难道我们会偷你们的不成！真笑话，婆婆，你愈老愈不成样子了……"

"哼，年纪虽则老，倒是一世不做亏心事。"

"你寻，你寻！这里有没有你的鸡？你寻得出你的鸡来，我没有话说，要是寻不出的话，哼！老贱人，没有这样容易！"生林底妻子暴跳着。

"贼骨头不一定在家里窝赃，倒说得硬气。"兴发婆虽则有点子窘，但她嘴里还不肯服输。

听了这样的话，生林底妻子一跃上前，把兴发婆婆一把抓着胸膛，直拖出到屋外场地上，一路扯一路哭嚷着："好，我同你评评道理看，无凭无据怪人家做贼，谁希罕了你们的雄鸡。天下那有这种道理，冤枉人也要有个因头……啊，总是生林不好，穷得给人家看不起……"

兴发婆婆被她底有劲的手抓住着，挣扎不了，只得牵牵连连地跟着走。心里有点惧惮，嘴里还噜苏地说：

"不用泼。白天不做亏心事，夜半敲门不吃惊，我不过来问一声的，你不看见我们的鸡也好说，用不着这样诈人……"

生林妻子底粗大的哭骂声早惊动了附近的乡邻，男男女女地都挤到场地上来，那周得福底妻子也赶了来劝解。

但兴发婆婆和生林妻子已扭做一团。生林妻子是年轻力壮的血性妇人，受了一口冤枉，已经气极了。她实在想把兴发婆婆打倒在地上，可是因为周得福底妻子劝她放手，一个是年纪大了，一失手会闯出大祸来，她才勉强地松手了。

大家簇拥着兴发婆婆回家去。嘴里你一句我一句地劝她，但是实在每句话差不多都是在说她不应该没凭没据地说人家偷鸡的。兴发婆婆听着这些不痛不痒的话，也不好意思再骂人，只是一边走一边远远地回过头去："总有一天的，我看你有好下场！你再撒泼！"

生林底妻子也还在场地上骂，等到她们俩彼此听不到了声音。

邻舍们渐渐地在半路上一个个地散了。只剩兴发婆婆独自个沿着小河浜走。她并不从原路回去，因为她想到祠堂里黄大叔家里去坐坐，告诉告诉他们，出出气。

刚走到那株槐树底下，后面她底孙儿阿毛追上了。这孩子尽嚷着：

"婆婆，婆婆！不好了，快回去，不好了！"

"什么事？什么事？"她站住了问。

"妈妈……妈妈……挂在床上……"阿毛气急败坏地说。

"什么！上吊！贱死尸，她还要害害我。"兴发婆婆嘴里虽然还要骂，但脸色却冷了灰白，露出十分窘急的神气，立刻一拐一拐地转向家里去。一边吩咐她孙子。

"阿毛，你快去叫祠堂里黄大叔来。"

于是阿毛赶向距离不到一百码的祠堂里去。

兴发婆婆才踏进门，黄大叔也赶到了。

"黄大叔，快点，阿毛娘上吊了，你进去看看，好不好救？"兴发婆婆失神似地说。

黄大叔也不答话，一脚就踏进西屋里去。兴发婆婆不敢跟进去，她只挨在门边。从门缝里窥进去，她看见她媳妇高高地吊在床架上。她心里忽然感觉到害怕，冤死的鬼魂是要讨偿命的，她到这时才懊悔不该把媳妇骂得那样地凶。

她觉得手脚都在颤抖。

她看黄大叔把阿毛娘抱下来，横在地上，解松了颈项里的绳子。她看见黄大叔解开了她底钮扣，抚摸着她底胸口。她看见黄大叔一声不响地对着阿毛娘的尸体呆看着。

她也一声不敢响。

直到黄大叔站起来，叫阿毛舀开水进去的时候，她才透了一口气退到堂中长凳上坐了。渐渐地她听得阿毛娘悠悠地叹气的声音。她于是又噜苏起来：

“我晓得是诈死，动不动上吊，哼，真的死了倒也罢了。吓神捣鬼，这样子还要雇一个人管她呢！……”

黄大叔走出来，扮了一个脸色，摇着手，她才勉强沉静下去。从门角里取出她丈夫的旱烟管来递给了黄大叔，她就把雄鸡不见了的故事重头告诉了他。

正在这时候，阿毛在门外喊：“公公回来了。”

她丈夫一进门，一边招呼黄大叔，一边就从空菜担里取出卖了的蔬菜钱。

“今天真是恭喜，几乎出了人命。”黄大叔说。

“什么，人命？”

于是兴发婆婆说：“都为了一只雄鸡，那贱人……”

“一只雄鸡？”她丈夫惊愕地打断了她底话。

“是的，一只雄鸡不见了……”

“噢，大惊小怪。雄鸡是我早上带进城去的。上月四太太说起过叫我觅一只雄鸡，今天因为要去，所以就带了去……送掉了。四太太很高兴。还叫你带了阿毛进城去玩。城里新开了影戏馆，叫你们去看戏……”

兴发婆婆起先是显得气恼，但随即转了脸色，一边数着兴发放在桌子上的铜元，一边说：“那么昨天为什么不告诉我一声呢，这里还有五升豆也好一同送去。况且一只鸡那里送得出去，索性再捉一只婆鸡去配配对。……她们四太太真是好人，旧年年底我同阿毛去，吃了他们许多东西，还带了两块洋钱回来。你看见她没有，替我望望她没有？……阿毛，走过来，鼻涕揩揩掉，到城里去也不像个样子……”

阿 秀

一 她与婢女的对话

人——她——本篇的主人公，朱秀娟，十九岁，地产商薛建华底第七房姨太太，是一年前被从本乡平湖以八百五十元的代价买来的。

婢女——阿菊，她底房侍。

时——十月二十三日下午四时许，大雨，秋寒袭人。她与丈夫，不，老爷，争吵之后。

地——她底卧房中。

婢女　姨太太，快不要哭了，老爷是和你开个玩笑的。

她　（抽噎着）什么玩笑！他简直不把我当做人看待。

婢女　不会的，老爷平常这样地爱惜你，要什么就什么，那会得不把你当人看待啊？

她　哼！这种老乌龟的假把戏！只算骗了我三个月，我早就看穿了。要是他真的爱惜我的话，也不会得想再讨第八房了。

婢女　怎么说！真的吗？这新闻从那里听来的，怎么我不知道？

她　（微笑了）你，等你知道，人家早已把新人请进来了。

婢女　（愧恧着）你怎么知道的呢？

她　我不是笨人，他近来常常和我吵嘴，憎厌我，这样不好，那样也不好，今天又索性动手打我了，他都为了什么？他只当我不知晓，其实，哼，你想再讨一个就讨一个好了，我那里敢多说一句话，也犯不着用这种手段来唬吓我。

婢女　算了吧，姨太大，不用生气了，夫妻相骂是常事，停会儿又合得上了。

她　夫妻！什么夫妻，他心里难道把我们当做夫妻看的吗？当做夫妻看了倒不会得敢这样打我骂我了。

婢女　哎，不是这样说的。我想老爷是脾气不大好就是了，倒并不是有心要亏待你呢。他这种脾气发作起来，真是有点叫人家吃不住的。就是我在旁边看了也有点害怕。不过……不过……说起不怕姨太太见笑，老爷不发脾气的时候倒又是怪叫女人欢喜的……就是……就是……

她 （愠笑着）哼！你这不懂事的小丫头，真不懂得男人们的心。就是……就是……你可不是说就是你也……（手指刮着脸）几时叫老爷把你收了房，你再来尝尝他的滋味，看看他的手段罢。

婢女 （装着娇态）你这样说我是不依的！我不过说说罢了。……我那里有这种福气呢……

她 （抿着嘴）福气！哼！福气……

婢女 姨太太，快不要这样不高兴了。（望着窗外）停会儿雨住了，老爷又要来要你一同去看戏去了。

她 看戏，是的，你想起来一定是他喜欢我，看得起我，所以来要我去看戏的，是不是？……

婢女 （看着她，好似不懂得。）

她 哼，我都晓得的！他是为了要我装场面，带一个我好在戏院子里坐着像样一点。他死要装出是一个上等的体面人，你但想他叫我去看戏的时候，对于我的衣裳总特别留心，不许我随便一点，恐怕要削了他底脸面，而且在看戏的时候……哎，这种说它做甚么，怪来怪去，我只怪爹娘生我的不好。生在穷人家，就是一等的漂亮，标致，也终归只好做人家的小，给人家糟塌。不晓得的人，只当我有吃有穿，在这里享福，可是我自己呢，真是自己也说不出，这种是……什么？我说是快活的苦恼！

婢女 （笑起来）这个倒新鲜的。快活的苦恼，没有人会听得懂这句话呢。

她　本来这样，世界上不做小的人再也不会懂得我这样的苦恼的。

婢女　好了，姨太太，不用这样子的抱怨了。等老爷脾气发过了之后，骗骗他，劝劝他，叫他下回不再这样的使性子就得了。人家说“家和万事兴”，你当真了，害老爷也就此不高兴了，弄得一家不和睦，也不是好样呢。

她　他这样子的自己不要和睦，我有什么法子好想呢。难道我应该受他这样子的看待的吗？我虽则名分上是小，家里虽则穷，可是爹娘也是好出身，难道肯一生一世的让他这样瞧不起下去的吗？枉算他也是什么大学堂的头班毕业生！读了洋书连到人也有点像外国强盗了。

婢女　姨太太，我看……（外面有人叫阿菊声）来了！

婢女被叫出去了。这样的对话便中断了。

二　她的独白

阿菊走出去了之后，室中已是昏暗了。电灯的扭还是赋闲着，没有经它底女主人的手来转动。她沉思了许久，发着以下的低声——几乎只可以看见她唇吻的翕动，而不能听到她的声音，即使你站在她面前——的独白：

“哎，我是生就了什么命运呢？身子给人家随便的糟塌，只换到一点首饰，衣裳。像养猪猡似的给他养着。

妈啊，八百五十块钱可用完了没有啊？不，那里有八百五十块钱到手呢，那个做中人的老婆子呀，你是造孽了。你将来不会有好结局的，这种事体可以做得的吗？

“我现在这样的算是已经出嫁了吗？我有了一个丈夫吗？哎，人家是丈夫，可是我要叫做老爷的，这是什么缘故呢，娟姊姊，秀贞姊姊，她们出嫁的那一天是多少热闹呀……哦，热闹倒还是我到此地来的时候更热闹些……不过，哎，我进来的时候是怎么样的呀？她们的结婚才是真的结婚啊？我没有拜过堂，我没有坐着花轿，我从没有在见礼的时候受过一个长辈礼，我难道好算是已经结婚了吗？谁看见过这样子的结婚呢？……

“待得我好一些倒也罢了……妈呀，我不是一定想做什么太太的，我晓得没有生这种福气啊。人家只要待得我好一些就够了，总要把我当做人看待才是啊。像现在这个样子，我的说话，说出来就好像生成是不算数的，大大小小，上上下下都可以不理睬的。说说倒又算是宠爱我的，我真不懂，我真不懂，娟姊姊呀，你们先生可是也这样子看待你的吗？可是这样子算是一个丈夫宠爱他底妻子的吗？哦，丈夫——老爷呢。爹，妈，你们不觉得说出来害臊吗，一个女儿嫁给了一个老爷？

“我晓得的，说来说去，我还得怨什么人呢。总因为家里穷了才弄得来交这条命运。……穷吗？哦，娟姊姊家里难道不是和我们一样吗，她为什么不去做人家的小呢，为什么他们爸爸不也卖绝了她呢？他现在不是还将就得过去么？她自己在牙粉厂里做工，她的丈夫在南货铺子里做伙计，他们两口子不是很说得上来么？为什么要做小，为什么一定要吃得好穿得好呢，哎，我是早已看穿了，只要将就得过去，终究是规规矩矩地嫁一个正式的丈夫好，一个人为什么要这样下贱呢。

“爹呀！我真不懂你既然这样的穷，为什么还要这样的赌得凶！弄到没法子，把自家的女儿都卖掉？你那天不是看见我的走眼泪都滴下来吗？你不是懊悔都来不及了吗？……或许你现在是很开心呢，你心里一定想自己有了几百块钱了，女儿去享福去了，可不是吗？

“哎，天啊！我恨不得即刻就死了，倒清爽，我是像给人家关在笼儿里一样，我有什么法子可以救救这条苦命呢？当初……当初，啊，我真可怜呀，我为什么不就给了那个住在对河河房里的姓赵的学生呢，爹，这又是要问你的，你为什么不许我嫁给那个人呢，你说他家里穷，其实比我们自己总好些呀。他现在听说也在上海，听说他和一个姓莫的女子结婚了，这是谁告诉我的呀？是什么时候的事情呢？哦，不错，他们是去年才结婚的，这是那个卖白兰花的同乡桂贞告诉我的。听说他现在什么洋行里做事，倒也很赚得动呢。……他底家眷不知道出来没有？他们可是同住在上海吗？……他住在什么地方呢？可惜那个桂贞没有告诉我得明白些。

“我……倘使他底妻子现在死掉了，不知他还要不要我？我可以这样做吗？……如果我现在去投奔他，如果他底妻子没有出来，他会得收留我吗？他还会得像从前有一个大热天的傍晚，在后门口相会的时候那样的说许多欢喜我的话吗？……哎，要是他还爱着我，他一定会休弃了他底妻子的，是的，我可以从这里带一点首饰去，这样，我们可以同过一种平安的生活了。我替他管理着家事，他每天到行里去办公。在每天下午的四点钟，譬如说，我正在做一些活计的时候，他回来了。我尽管坐着，我假装做没有听见或看见。他就轻轻的走上前来，他是一个漂亮的青年人，他会得来从我的椅背后亲我的嘴……啊，那是多么幸福啊！

“不啊！不啊！他不会再要我的了。我现在不是从前那样的一个人了。他还会得欢喜一个人家的逃出来的小老婆吗？不会的，决不会的！我是可怜的啊……我不能再正式地嫁一个人吗？我不能再和一个正式的丈夫做一个人家吗？我将永远的被关在这里吗？……我是多么不快活啊！不能，我不能再在这里了，我一天也不能再住下去了！我要走！我就是没有别的机会也要走了。我可以先到家里去，我该当再见一见爹和娘，然后我想法子走得远远的让他们找不到。我索性应当多带一些东西走，横竖他们要叫我顶一个逃的名目。我出去了之后，随便怎样，比在这里总归好一些。……我为什么要再在这里呢！啊！这雨还是不住，我应该把灯开亮了，这里真昏黑得可怕呢……”

三　母亲的话

这是她从薛建华底家里卷逃回来之后的第二天，晚上，父亲是在外面赌钱未归，母亲对她说着这样的话：

“阿秀啊，你现在打算怎么样呢？……”

她没有回答。

“事体既然做了，那也没法的了，不过我这里是不能再住下去了。我看明天就会有人要来寻你，这是要吃官司的啊！……况且……况且你爹，你晓得，他会得看相你手头的那些东西去送到赌场里去的啊……

“阿秀，你这个名声是不好听的啊，人家说起来总……就是要再嫁一个，我看也只好随便一点的了……就做个填房也好……”

她鼻子里哼着，表示这句话是听不进的。

“事情是很难的了，阿秀，你这样的在大户人家住过的人，吃得好，穿的好，现在要想做人家的花烛，这是做不到的。你有得做了花烛，就不能攀到这种样子的大人家去。你要百事称心是不能的啊……阿秀，我说你真是何苦，住在薛家难道还算不得福气吗？

“现在你说想再嫁一个正式的丈夫，可是你要找一家照样的人家，找得到吗？一个人活在世界上，为的是什么，有福享乐得享几年福……我总说你这事情是做错了。阿秀……阿秀，你怎么这样的不则声呢？我是此刻给你定不下什么主意，不过你如果不马上嫁一个人，立刻就远走高飞，我看再过两三天怕就要给人家抓去呢。……你说人家不会寻到这里来吗？这里的人不会去通风报信挣赏格吗？你带了这许多东西出来，人家会得肯就此干休吗？

“我想过了，上个月根生来——根生，你记得吗，那个张根生，前街南货店里做伙计的——他说起他底兄弟炳生，现在上海做汽车夫，一个月倒也有三十来块洋钿好挣，正在要想配一头亲事。我想你到很配的，这份亲如果攀成功了，两个儿在上海住住，也不愁了。阿秀，你想一想罢，如果肯的话，我明天就托间壁翠姊姊去说说看。如果他们肯了，我看你立刻可以到上海去，赶紧的结了婚，倒可以安心住下来，他们倒不见得会捉着你了。不然，住在这里，我看是凶多吉少的。万一你还害怕的话，索性跟着炳生另外搬到一个乡下去，好好的做一份人家……

“阿秀，你到底怎样想呢？主意应该打打定了。事体若是不从速做去，我看你还是想法子离开这里罢，我很替你耽心着呢……”

阿秀沉默着。

四　第二嫁——二邻女之话

甲女　刚才你进来的时候，看见隔壁阿秀的娘拎了个包□出去，不知到那里去，身上穿着新衣裳。

乙女　你没知道吗？阿秀回来了……

甲女　阿秀回来了，我没知道，难道来接她娘一同到上海去吗？

乙女　上海倒正是上海去，可不是阿秀来接去的。……你没有知道阿秀从那份人家逃出来了吗？

甲女　逃出来！阿秀从那份人家逃出来！为什么？

乙女　谁个知道她为什么，好好的不想过活了，想起个新花样呢。

甲女　恐怕那份人家一定悔气了，逃了出来那得不带一点东西走呢。

乙女　（轻声着）着实有点东西呢，昨天晚上翠姊姊来说起，她亲眼看见金器也有好几十样呢。

甲女　翠姊姊怎么会看见呢？

乙女　她还替阿秀做媒呢。

甲女　替阿秀做媒，马上又要嫁人了吗？

乙女　原是为了要嫁人，所以卷逃出来的呀。

甲女　我不懂……那么……她在那份人家不舒服吗？还是……或许那个老头儿太老了……我说阿秀也着实呆呢，人家做小的有得吃，有得穿，如果嫌憎老乌龟太老丑，尽可以在外面姘上两三个小白脸，横竖他们大户人家有三妻四妾，不见得会夜夜轮得着她。……像阿秀那样逃出来，不是太呆吗……

乙女　听说阿秀是为了在那边太给人家看不起了，那个男的要打要骂，她受不下，所以包包卷卷的溜出来了。

甲女　这样有什么好处呢。住在里面终究是吃不完用不完，现在她任凭卷出多少东西来，终有完结的时候，况且又落得个坏名声……

乙女　她底算计着实不错呢。她要好好的再嫁一个规规矩矩的人。她要安安逸逸的做一份人家。她不肯再做人家的小了。

甲女　话是不错，本来做小也不是正派。不过像她这样既然做了人家的小，我想也将就些好了。何苦再要大翻身，弄得将来反而连做小的安逸都不到手呢。况且，现在人家给她卷掉了许多东西，人家也不见得会答应，那时万一寻到了之后，吃起官司来也不是开心的事呀！再说她就是要嫁人的话，正经的人，谁个敢讨她这样的逃走出来的人呢。

乙女　你晓得翠姊姊替她做了怎么样一头媒？

甲女　谁？我不知道。

乙女　那个南货店根生的兄弟，炳生。

甲女　炳生，根生的兄弟，那一个炳生？……哦，是那个在上海做汽车夫的不是？

乙女　不是他还有那个炳生！今天他们都到上海去了。听说马上要拜堂的呢。

甲女　我说阿秀不会嫁什么正经的人的！果然不错，可不是？只有炳生这种人贪图她手头有点花头，铜钿想偏了心，也不管这种事情危险不险，就会得成事得这样快。不过我真不懂阿秀既然逃了出来存心想好好的嫁一个人，为什么又这样要紧起来，不仔细拣一拣看呢。

乙女　你不知道这是她娘的主意。她娘害怕人家会得在日内到这里来查问阿秀的下落，所以要阿秀早些走开。可是一下子又没有什么亲戚朋友可以投奔，又怕投奔了人家反而闯出祸来，况且阿秀底爹爹，你晓得，是个赌鬼，她娘怕他又要逼着用阿秀手头的那些东西，所以急忙替阿秀拣一个丈夫，索性就结了亲让他们两口子远走高飞的去做人家，等再过一年半载，人家把事情冷淡了下来，再与家里来往。所以挽出翠姊姊来做媒人，不知怎么一来想到了炳生，又不知怎么一说就成功了……

甲女　你说炳生这个人怎么样？

乙女　我不晓得，从前不是有人替你出八字给他的么，你应该一定晓得的……听说也有四五十块钱一个月的进账呢……

甲女　四五十块钱在上海那里会有得多！吃完著完，还是落得一场空。况且我还听说炳生在上海嫖也来，赌也来，阿秀手头的东西，刚好端正他花三个月。我看阿秀还是要吃苦的，真是难过！……其实她也是自作自受，好好的人家偏不肯安心的住着，随便他们现在怎样的打，怎样的骂，将来如果生了一男半女，不是就有话分了吗？现在这样的逃走出来嫁一个汽车夫，安逸在那里呢？……

乙女　原是这样说。我说这事情都是她爹爹不好。早知现在要逃出来的，当初索性就许她嫁给对河赵家的儿子，现在倒真的也好过过安逸的日子了。那个时候人家多少的要讨她，偏偏爹爹早晚的骂，骂得翠姊姊狗血喷头，此刻却归根结蒂嫁个汽车夫，我想阿秀心里也一定怨煞的。

甲女　正是呀，现在赵家的那个儿子倒娶了亲在上海洋行里做事，听说很好过日子了。……那么难道刚才我看见阿秀的娘拎了个包裹是到轮船埠头去的么？

乙女　是的，他们今天要赶到上海去找炳生，顶好马上就成亲呢。

甲女　那么阿秀呢，怎么不看见？

乙女　想来一定是先走了……

五　她的独白

阿秀和炳生结婚的两年之后，某夜，她独居在湫窄的房中，十支光的电灯昏暗地照着，她做着这样的怨艾着生命的乖蹇的独白：

“……现在只剩了这一个戒指了，看来也是免不掉要给他断送了的。好不懊悔啊，嫁了这样的丈夫，对于我有什么好处呢。当初是想免得做小，给人家要打就打，要骂就骂，若得正式的嫁个丈夫，博一个终生的依靠，虽然不望发迹，也着实想安安逸逸的过了这一世，所以不怕给人家捉去钉镣收监，冒着风雨之夜的寒冷，想法儿偷运出了许多的东西，如果省吃俭用，好好的做起人家来，丈夫又多少会得挣一些钱，我想也随便怎样吃不完用不完了。那天夜里，爹爹又死命的要娘问我讨这点东西，他眼红得顶好我就此躲在家里，不用出来，好让我把这些东西都给他骗了去送在赌场里，禁不住我执拗的不肯，娘又帮着我，总算给了他四十块钱，才没有话。那里知道从爹爹手里留了下来的，却原旧从丈夫手里送了出去呢……

“怪也得怪娘的不好，她那天整日整夜的催我嫁一个人就走，急切之间，千不想，万不想，却想到这样一个没出息的汽车夫。娘不知听了谁的花言巧语，说他人又怎样规矩，又怎样会挣钱，走出来又怎样的有看相，那知道全是谎话！……其实谎话倒也算不得谎话，当初看来，他何尝不是个规矩人，每个月挣四十块钱，外加零碎的酒钱，拼拼凑凑也一共有五六十块，说少也不算少了。讲到相貌，也何尝不算得清秀，年纪也不过廿六七岁，比起那个老乌龟，老不死来也好得多了。不过……不过……那里会想到这个不成人的东西会变得这样快呢？

“说来也要怪到我手头太宽松之故了。他要什么就什么，我只要想让他快活，一块两块的给他，那想到他会得一步进一步地，索性嫖起来赌起来了呢。后来索性愈弄愈不对了，一给了他就出去，整天整夜的不回来，不给他呢，又索性动手打了，真是畜生！他简直不晓得我待他的一番好心，我要是肯给人家打骂，还为什么要逃走出来呢。一样的给人家打骂，在那个老乌龟家里不是还要比这里快活些吗？他这个没良心的东西，真不晓得人家的心……哎，我现在还得招怪谁呢？

“当初逃了出来之后，索性削发落庵，烧香拜佛，倒也图个下半世清净，为什么，哎，我真不懂当初什么东西朦了心，一心一念只盼望好端端的再嫁一个丈夫，到现在呢？哼，丈夫好不好？不要给人家笑话吗？就是老乌龟看见了我，也不用他来捉我，罚我，请我吃官司，我也尽够惭愧死了。我还有什么脸去见人哪……

“就是再想宽一步，铜钱银子，用完了总还可以挣回来，只要家宅平安，两口子舒舒服服，大家勤俭些倒也好了，偏偏他还要想癞虾蟆吃天鹅肉，去吊什么人家的贱东西的膀子。也不知道是那一家祖宗缺了德，出了这种不要脸的婊子姨太太！要想姘小白脸，上海滩上多得紧，戏子也好，白相人也好，却偏偏要没廉耻的来看想到他这个没良心的东西，从此以后，他是肉麻当有趣的，白天也三姨太，夜里也三姨太，嘴里念出念进的三姨太，好像我是个乡下大姑娘，一点也看不入眼了……我真不懂他这个不要脸的东西的心是怎样生的？……如果我在薛家的时候的那种样子给他看见了，不知道还会得这样的怀念着那个姨太太吗？我现在自道是改邪归正了，那晓得他这个东西一点也不懂得，还要整天的拍台拍桌，寻是非。看他的意思，好像不把我放在心上了，这样的人还做得下去吗？我又不是前世少欠他的，定准要今世来受他的磨折，咄！他真是睡在鼓里呢！昏蛋！

“这个戒指把我花光了，看他再拿什么来养活我，看他再怎样的待我……哼，我真呆了，难道真是要等他把我所有的东西都括干了再说话吗？这是欠他什么债呀？……哼！走他的妈！横竖今生今世也不想造什么贞节牌坊了，这种男人家都是犯贱的，真不配拿忠心赤胆来待他们。我要走了，他不相信我会走吗？……他难道没有晓得我从前的手段吗？……手段？……不错，从前走还有东西可以带了走，现在呢？他有什么东西？这个难道还算得是手段吗？……不过走是总要走的，哼，你看我从此以后去做什么去，你们这些下贱的男人都是只配这种人来对待的……”

六　新的照会

一九二一年七月二十一日，上海法工部局风化处来了一个女客，是由一个巡捕领导着进来的。她和风化处的办事员作以下的问答：

问：来做什么的？

答：要签一张照会。

问：什么照会？

答：小照会。

问：叫什么名字？

答：阿……阿娟。

问：姓什么？

答：姓——李。

问：有亲长同来没有？

答：没有。

问：你家里没有人了么？

答：只有我一个了，是光身的。

问：为什么要做生意？

答：没有法子养活了。

问：从前做什么的？

答：香烟厂里做工。

问：现在为什么不做了？

答：那爿厂已经关门了。

问：为什么不去另外寻一家呢？

答：一时寻不着，……而且工钱太小，也不够开销。

问：照片带来没有？

答：带来了。

这样的问答了之后，办事员取出了一张新的秘密卖淫照会，交由侦探长签字之后，便颁发了下来。

七　报复

又是一年了。

这一日的晚上，法租界某一所大宅底门外停了一辆汽车。车夫独坐在车中打盹，车主人是已经走进屋内去了。

车主人在屋内，也在打盹。不过所异于他底车夫者，他并非在湫狭的汽车中，而在被认为全屋中最华丽而讲究的房间内。车夫打盹是等候着他底主人，而主人底打盹是等候着他底好色的目的物。

他底打盹并不很长久。起先是给一个惯会说些风情话的扬州老妈子来泡茶而惊醒了，随后，正要再朦胧睡去的时候，他所托东家物色的佳丽来了。门帘一启，一个倩妙的女身闪了进来，用着袅袅然的步武，走向着他所斜躺着的床边来。

他，一个好色的老胖子，带着一种老练的猎艳家的神情，倏的站了起来。

“呔！你……”

“哎呀！你……”

她反转身想退出去了，但时间不能允许她，他已经闪身过去把房门堵住了。

“你这贱人，在这里！哼！”

她战栗着，眼泪已经充满着在眼眶里了。

“你这贱人！哼！还有什么话吗？你倒还敢在上海！”

“哈！哈！哈！”忽然一个思想从她头脑中闪过，“不错，我还在上海。你居然还会来寻着我……而且到这里来寻着我！好呀！老——”

他喘息着，呼吸咻咻然，把房门开了一半，探头出去。门外刚才有人走过：“喂，娘姨，到外面去把我底车夫叫来。”

他把房门又关上了。他默然坐下来。她也默然坐了下来。

停了一会儿，有人在外面叩门。

“进来。”

半开了的门里，先探进一个头来。

“炳生，去叫巡捕……”

“呀！”倏地那个汽车夫直冲了进来。

“咿呀！”她惊叫着，从椅子上站了起来完全失措了。

“你这贱坯！做得好生意！”这是车夫的话，完全不过问他底主人了。

那主人，惊异着，全不懂这是什么一会事。

她又忽然大笑起来了。她笑得很凶。她完全近于狂笑了。她看着那好色的薛建华，又回头看着那汽车夫炳生：

“他是你底车夫吗？哈哈！天啊，真有这样巧的事体！炳生，你看，今天你开着车送你底主人来嫖自己底老婆了，这个不是报应吗？从前你不是曾经把人家的小老婆开到旅馆里去睡觉的吗？好呀，今天你自己看见了报应了。……老乌龟，你叫炳生去叫巡捕来做什么？你要嫖我，不是吗？你不是叫此地的娘姨来叫我的吗？现在你却带了我底丈夫来，哙，你不知道吗，他是炳生，他是我底丈夫，我们是正式结过婚的，你不知道吗？你叫巡捕来做什么？你想我们三个人里面，谁应该请谁到巡捕房里去？……炳生，你底东家叫你去叫巡捕呀，……你为什么不去叫巡捕来把我捉去吃官司？……”

“少说些！你卷逃，我自然可以叫巡捕来捉你。你不要走！……还怕你走到那里去！”

他么喝着，一手猛力的把门开了，想走出去。那汽车夫站在门口，伸起两手来阻挡了他，眼睛突出着，盛怒着了。

“先生，你要怎么样？”

“怎么样！叫巡捕，她是我家里的逃妾!”

“慢!”

“滚你的蛋！要你管什么，到此地来的总不是好人，你是她的什么人，要你帮她。”

“看你东家面上，要走就放你走。你的生意我也抵准不做了。你叫我进来做什么，你坍我的台！哼，还要叫巡捕，我不请你吃嘴巴就是特别客气了！……”

“好！很好!”呆了一会，他走出去了。

“自然很好!”炳生的话。

“哈——哈——哈——哈——哈”她底狂笑轰响着在满房的华丽的家具中间。

特吕姑娘

永新百货商店香妆品部的女店员秦贞娥是常常有着好兴致的。她永远记得，当他第一天进公司来服务的时候，那部长对她的和霭的训话：“公司与店员的关系是一种企图双方繁荣的合作，一个店员应该常常想到公司营业，尽了自己的能力使它得到尽量的发展；公司方面，也当然会得依照了营业发展的速度和店员服务的效力，给予店员以地位上和物质上的升擢。为了求得这样的合作的良好效果，所以一个店员对于主顾必须和气，诚实，而且显出商业上的殷勤态度来……”

部长的话，遂成为秦贞娥小姐的标语。我们与公司是合作的，我们必须和气，诚实，而且殷勤，使公司的营业发展，也就是使自己的职位和薪水增高。从第一天走进香妆品的柜台起，她就谨守着她底标语在永新百货店服务，这就是每一个主顾所看见的她的好兴致的来历。

秦贞娥小姐之得以进永新百货店服务，虽则曾经过一度形式上的考试，但实在是由于她底邻居赵良士先生的介绍。这赵良士先生，就是她现在的同一部里的同事，是已经在本公司服务了三年以上的职员。当秦贞娥小姐被营业部长指派在香妆品部服务的时候，赵良士先生曾经显露着喜悦的，但是稍微有点惊讶的眼色："怎么，你也派到这里来吗？很好很好，我们……"底下他就含糊其辞了。

秦贞娥有着父母。她底父亲曾经开过一个中等旅馆，但是因为大旅馆事业的勃兴，中等旅馆的营业完全败退，所以他底事业也早已收歇了五六年。她底父母又是染着鸦片烟瘾的人，所以自从她父亲赋闲了下来，所有的一点私蓄已很快地耗费完了。秦贞娥是她父母底独生女，刚在中学校毕业，看着家庭里的经济情形，觉得非但没有再升学的希望，而且还有着要一个职业以津贴家用的必要了。恰好邻居的那独身少年赵良士在与她父亲闲谈的时候，说起公司里近来有聘用女店员的消息，她父亲就托他给她介绍了。

秦贞娥小姐对每一个主顾微笑着。

——要些什么？雪花膏，有，这是"迪安"，这是"何比甘"，——唔，不错，这个便宜点，东西也不坏……

——生发水吗？这里是"高蒂"的，你要气味清一点的吗？这是堇花味的，这是紫罗兰味的；再要香一点吗，那么，这个“蔷薇味”的就很好了……

秦贞娥小姐这样起劲地应付着她底男女顾客，写发票，打铃，整理货物陈列橱，从早上九点钟忙到下午七点钟，在公司里吃了晚饭，与赵良士先生一路回家。每天都这样，虽然觉得很疲倦，但她的精神一直维持着克服这种疲倦的勇气。

秦贞娥小姐在永新百货店的香妆品部服务了两个礼拜之后，开始注意到一个奇怪的现象了。因为在两礼拜之间，她底主顾大多数是女子，不是袅娜轻盈的小姐们，就是雍容华贵的太太们；但现在，显现在她面前买香妆品的，却渐渐地几乎要纯粹是整洁的青年绅士了。

一位绅士站在面前。他不说话，也不看着玻璃厨中的香妆品，但只是看着她。

好兴致的秦贞娥陪着笑脸问：

——先生，要些什么呢？

——唔，我想要，一块好点的手帕。

那绅士好像很局促地回答，但仍旧狡猾地凝视着。

——对不起，这里没有手帕，请到那边去买罢。她惊诧这绅士底失神般的仪态，但还是很殷勤地说。

——唔，那么，这里卖些什么呢？那绅士问。

这人好像从来没有到过一家百货店的，秦贞娥小姐不觉对于这样的傻绅士发笑起来：

——这里吗？香妆品部，先生。

——唔，那么我就买点香妆品罢。

买点香妆品！秦贞娥小姐睁大了好奇的眼睛。从来没有听见过这样的话。她顺着这傻气的绅士的眼光，从玻璃橱中取出他所注视着的香水瓶和牙膏。

——要这个吗？这是“四七一一”香水。

——唔，“四七一一”，这上边有字，我认得。

秦贞娥小姐觉得有点怫然了。这样不客气的主顾简直没有遇见过，可是一想到她底服务标语，她就以牙齿咬着嘴唇，将两瓶牙膏递给他。但那绅士并不接受：

——我并不要买牙膏。

秦贞娥小姐忍耐着将香水和牙膏放进了玻璃橱，她的头俯下在给电灯光烘热了的玻璃柜上。那绅士也俯下着头看玻璃橱中的货物，于是他底鼻子在她底蓬松的卷发上狩猎了一下。

——我还是买一瓶生发水罢。他说。

——那一种，你喜欢，先生？

——我可说不上来，你喜欢用那一种就那一种罢。他微笑着说。

秦贞娥小姐还是忍耐着，照例取出几种生发水来，罗列在晶莹的玻璃柜台上，复述着她对于每一个买生发水的主顾所要说一遍的话：

——这是“高蒂”的，你要气味清一点的吗？这是堇花味的，还有，这是紫罗兰；再要香一点的，那么，买了蔷薇的去就最适合了。

可是那绅士似乎没注意她所说的话，也没看一眼她所罗列着的各种生发水。他老是耸动着鼻子，好像一匹狡兔似地隔着一个玻璃柜台冲着秦贞娥小姐底头发乱嗅。

——小姐，我爱你头发上那个香味儿。

秦贞娥小姐钉了他一眼，不禁脸上热起来。她不声不响地从柜台底下取出最最起码的本厂自制的低价生发水来，冷冷地说：

——那么就是这一种货色了。

——那么就是这个罢，多少钱一瓶呢？

——半块钱一瓶。

——那么就买了两瓶去罢。他投出了一个银元。

她写了发票，打着铃招呼学徒去付账和包扎。当她将许多瓶和匣重新放进玻璃柜或橱里去的时候，她觉得他底眼睛永远是跟着她的。

当她从学徒手里接了发票和生发水的纸包递给他的时候，他又出于意外地说：

——哦，我想起来了。我还有大半瓶生发水没用完，这个买去一下子也没用处，那么，就送给你罢。

这样说着，他把那纸包一推，趁便抓一下她底手，嬉笑地走了开去。

一回头看见赵良士正站在旁边，好像目击着这喜剧似的，秦贞娥小姐涨红了脸，几乎要哭出来，嘴里说着：

——该死，这家伙大概有点疯的。

但心里却深深地感觉到被侮辱了。

赵良士却狂笑起来，他说：

——小姐，我说这个生意你吃亏了，你应当让他买顶贵的生发水的。

是的，秦贞娥小姐一想起那营业部长的训话，就相信赵良士先生的计议的确含着一个真理的。自从这傻气的绅士以后，每天总有几个同样的或类似的主顾来专找着她买香妆品。她一例地显示着好兴致应付他们，不管他们买了东西之后是留着送给她的或是带着走的，她总用种种的说话，或是甚至在必要的时候还用她底妩媚的姿态，使他们购买了最高价的货物。

尽了我的能力使公司的营业得到尽量的发展！

公司和我的关系是企图双方繁荣的合作！

当每一个主顾走来之后，永远是倩笑着的秦贞娥小姐总重复地背诵这两句标语。

于是到月底了，穿着制服的总账房的学徒送了领薪单来。她是二十元，赵良士是四十元。她很诧异，为什么自己只做了一个月，薪水已有二十元，赵良士做了三年多，却只有四十元一个月的薪水。

她记着母亲曾经说过，因为她的职业是赵良士介绍的，所以预算着在领到第一次薪水的时候买一点东西送他。因此这一天晚上她并不找赵良士一同回家，她自己到五马路去买了几磅绒线，预备自己趁晚上的余暇打一件绒线衫送给赵良士。

可是直到绒线衫快要打好，她还没有机会能和赵良士一同在早晨上公司或是在晚间回家。赵良士总是用种种的说话躲避着，不和她同走。这使她心中十分的纳罕。一天，正是收拾铺面，预备歇市的时候，她觑着一个机会对赵良士说：

——赵先生，今天晚上你到我家来，好不好？

——今晚吗？对不起，我已经约了一个朋友看电影了。

——那么，明天上午罢。明天是礼拜日哪，你大概不至于到礼拜堂里去做礼拜吧？

她笑着。他显出了窘状，被折服了。

次日的上午，赵良士来到她家里。她将结好了的绒线衫请他试穿了之后，笑着说：

——近来赵先生不知在忙些什么？

——这话什么意思？谁看见我忙过什么来？

——如果不忙什么的话，为什么早晨上公司晚上回家都躲避了我，不愿意一道走呢？

赵良士低着头，严肃地说道：

——难道你自己还没有看见小报上怎样说吗？

——小报？怎样说？她好奇地问。

——关于你的事情，近来小报上差不多成为唯一的谈料了。他们品评你的姿态和容貌，并且还探听到了你的姓名和住址，他们还给你取了个绰号，叫做特吕姑娘，那意思就是 Miss de Luxe，因为你常常劝人家买顶贵的东西。而且他们知道了我……！

——是的，有人叫我“密司特吕克司”，我一向不懂这是什么意思，可不知道是小报上造的谣言……可是他们怎么还知道你？他们知道你怎样呢？

——他们知道我每天和你同走的，而且，而且还说了许多谣言……诚实的赵良士说到这里不觉有点脸热了。

——所以你避开了不再和我同走吗？

秦贞娥小姐说着，去楼上取出了一匣信件来，推在桌子上：

——你看，小报上怎样说我没看见，可是这里还有许多信呢。这些信都是这一个月里寄来的，有的是那些主顾悄悄地塞在我的发票簿子里的。这些信的内容，有的邀我看电影，有的邀我跳舞，可惜他没有知道我是不会跳舞的；有的说上一大堆肉麻话……

——但是你怎样去对付这些信呢?

——对付吗?我从来没有对付它们过?她撅着嘴说。

——但你总得自己想个办法。

——为什么,难道我错了吗?

——即使没有错,但这是于名誉有关系的。

——名誉?是的,也许有一点关系。但是我想,倘若我永远不去想个办法对付这些信,这于我的名誉是没有关系的,你说不是吗?

赵良士凝视着她底善辩的脸,沉思了一下,说:

——但是我终究很后悔不该劝你开始那样的销货术的。

——为什么?

——那至少对于公司是会有损失的。

——什么,你说这样的销货术会叫公司受损失吗?“我们该尽了我们的能力使公司营业得到尽量的发展”,“公司和我们的关系是企图双方繁荣的合作”,在这样信条之下的销货术会得使公司受损失吗?我说,赵先生,你应该改革一下,在小姐们太太们面前,你也得采用我的销货术才行。

赵良士耸着他的稍微有些欹斜的肩膀道:

——特吕姑娘,谢谢你,但是你就快会得知道的。

于是到第二个月底了。她结算了一下她的发票簿,这个月一共用了九百多页，统计卖出了六千余元的香妆品。但赵良士的发票簿却只用了三百余页，一共做了不到一千元的生意。

总账房里的穿制服的学徒送领薪单来了。除了那支票式的领薪单之外，她还多得了一页加薪通知书，她的薪水加到二十五元了。

——赵先生，我的薪水加了。她快活地告诉赵良士，你说，不是我的销货术的好处吗？公司和我是企图双方繁荣的合作哪！

赵良士仍旧耸了一下他底欹斜的肩膀：

——也许是的，但也许你的繁荣会有人不高兴的。

——谁不高兴？

——总不至于是我吧。

第二天，对于赵良士的玄机似的警句怀疑着，但一方面又对于自己的加薪这事实感觉到愉快的秦贞娥小姐一走进公司，就觉到空气有点不同了。平时招呼惯了的男职员都呈着一种不很能够懂得的表情。当她走进自己的柜台里去的时候，好像他们全都注视着她，讽刺地，甚至可以说是恶意地。

不多一会，赵良士来了。他问她：

——你听到什么新闻吗？

——新闻，什么新闻？她惊讶了。

——昨天晚上，全体男店员召集了一个会，议决了

如你对于我一样?

她　让我们不要说“淡薄”吧。

他　我抱歉得很。但是我对于你的恋爱自问是更热烈了，是的，在追想着我们结婚以前的你的蜜恋，我常常表示出更甚的恋爱。

她　但是可惜得很，我没有觉得。

他　（默然）

她　（抚摩着他底头发。）华，结婚以前的恋爱是一羽伶俐多嘴的鹦鹉，而结婚以后，它往往是变得喑哑了，你不懂吗?

他　即使我懂得，可是我不希望它这样。

她　那可没有办法。

他　为什么没有办法?

她　因为从前是，恋爱之外还是恋爱，现在是，恋爱之外还有别的事情哪。

他　但是，至少今天是没有别的事情了，兴奋起来，兴奋起来！琴，我们去散步去，天气很好哪。况且……况且，我们好久不同出去散步了，不是吗?

她　（扶着栏杆呼唤在楼下草地上玩着的两个孩子。）康儿，健儿，来，来。

他　怎么哪?

她　给他们换衣服。

他　不，让张妈管着他们罢，不要同去。

她　不要同去，那么，你不是说还要去看电影，吃夜饭吗？

他　是的，这有什么关系？

她　我说时间太长了不好的，我们去散步一会儿就回来罢。或者，让小孩子睡了，我们再去看九点钟的电影也成。

他　但是，这是我底兴致哪，琴，我们好久不一块儿在外面吃夜饭玩儿了，让我们把这个礼拜日快快活活地过去罢。

她　（沉思着，不做声。）

他　怎么，琴，你想着什么，这是用不到想得那么样长久的。

她　（微笑着。）我想着那衣料，剪得为难了，给他们每人做两套还怕不够……怎么样，你说，我们去散步一趟就回来，好不好？我还想把他们底衣裳裁好，明天就好缝起来，天冷了，让孩子们早一天穿。

他　（耸耸肩，从衣袋里取出纸烟来。）那么你裁衣裳罢。

她　怎么，你生气了，华？（她抚着他底肩膀。）

他　我没生气。我说你就裁衣裳罢，可是我倒很想去散步一会儿。我们晚上再同去看电影，我依你了，不是吗？

她　好的，这样也好，你不怪我吗，华？

他　（吻着她。）我不怪你，自然，你还有孩子们得照顾着哪。

（他燃着纸烟，悄然地走出去散步了。）

二

（在路上，刘华德先生与他底旧情人，现在是费佩坤先生底太太。）

他　你好？好久不见了，密昔司费。

她　（略现局促地与他握手。）真的，好久了。

他　往那里去？可以让我奉陪一段吗？

她　嗯，没有目的，刚才从朋友家里出来，想散步一会回家去。

他　府上现在在什么地方？

她　毕勋路。

他　不很远，让我送你回去罢？

她　（沉吟着。）不敢当，我们可以同走一段。（他们同走了。）

他　怎么，不和密司特费同出来？

她　他吗？他上南京去啦。

他　怎么你不同去玩玩？

她　玩玩？南京没有什么好玩的。

他　可是也不常看见你在上海玩哪？

她　（微笑着。）是的，现在也有点玩得腻了。难道你还像从前那样地每晚都混在外边吗？密昔司刘呢，她不管你吗？

他　密昔司刘倒并不管我，不过我的确也腻了。

她　真的吗？可是为什么说不常看见我？

他　（受窘似地。）那原是说着玩的，根本我也不常在公共的娱乐场所。

她　跳舞吗？

他　还是暑期中的事呢。

她　暑期中舞兴很不坏吗？

他　也并不，总共不过五六回。

她　和谁跳舞呢？

他　和谁！除了舞女之外还有谁哪？（他感伤地看了她一眼。）

她　为什么不和密昔司刘去跳呢？

他　她吗？她不很会跳舞，而且从来没有这兴致。

她　电影怎么样？

他　也有三个礼拜没看了。

她　为什么这样规规矩矩的呢？

他　并不是规矩，实在是振作不起兴趣来。

她　（低声地说。）是的，振作不起兴趣来，结了婚，什么都……两样了。

他　（感伤地斜睨着她，但是沉默着。）

她　（觉得失言了似地，低下头去掩饰她的羞赧。）

他　我们喝一杯咖啡不好吗?

(她点着头,于是他们转进路旁的一家咖啡店去。)

他　媚,为什么这样消极呢?你幸福吗?密司特费怎样呢?

她　(正色地。)不,并不是这意思,他待我很不错,请你别误会了哪。

他　我很抱歉了,可是,你说,为什么这样消极了呢?你说。

她　(烦乱似地。)并不一定是消极。那不过是感觉到好像一个人正式的结了婚,生活就全都变了……变了……是的,就是这样的一种说不出来的情形……或者,我们可以说是懒了。(她微笑着。)

他　(低声地独语。)懒了,是的,当一个女人结了婚,她就变得懒了……

她　不,不单是女人……(她含笑着。)

他　(点着头,但忽然兴奋起来捉住她按在桌上的手。)但是现在我觉得又恢复了从前的兴致了……

她　(让她底手被紧捉着。)是的,我看得出来,但这兴致并不像从前的一样。从前的是自然的,现在的可多少有点反常了。

他　(苦闷起来。)媚,我现在才有点奇怪起来,为什么当时我不再追求你下去,也许,也许我可以得到你的,可不是?我想我们是会得更幸福些的……

她　（缩进了被握着的手。）不是的，情形总是一样的……

他　（惊异地。）媚，你现在改变得太大了。你为什么变得这样聪明，这样哲学的呢？

她　哲学的？并不，这不过是一种经验。我生活过，我思想过，我堆积了许多经验……但是，我们不要再说这样消沉的话罢，你说，你怎样后悔……

他　后悔？后悔什么？

她　（忸怩地。）你当时为什么忽然疏淡了我？

他　啊，那是，那是因为你先疏淡了我呀。

她　但我是打算等候你的……

他　可是……我结婚了……

她　（幻想似地。）那最后一次，你记得吗，你答应来看我，我等候你一直到晚上。十点钟，你终于没有来……就此你没有来看我过……直到我晓得你们结婚了？

他　是的，我很对你不起，但当时我实在抑制不住，我不能不这样做啊！

她　为什么？

他　因为那时你和密司特费太热了哪。

她　但是，倘如你会懂得我那天晚上等候你的情绪……

他　这太残酷了，你不应当有一个秘密的。

她　一个秘密？是的，一个女人在结婚以前总喜欢把爱情造成一个秘密的。

他　是的，也许她底幸福就牺牲在这个秘密里。

她　不，这没有关系，结婚是绝对的另外一桩事。难道我刚才没有告诉你，我现在并不是不幸福吗？

他　不错，那是我失言了，抱歉得很。可是也许我应该说，这秘密会得牺牲了别人的幸福，那也一样的是一种残忍。

她　难道你说你现在并不幸福吗？你敢这样说？

他　（屈服似地嗫呐了好久。）是的，你的话不错。但是……这生活过不下去哪！

她　（冷然地。）所以要懒了……

他　（坚决地。）不，不能，不能让它懒下去！我们得另外有一个决定！媚，只要你肯帮助我，也让我能帮助你……我们振作起来，我想……

她　（饮着她最没一滴咖啡。）你相信我们还会得恢复从前那样的交情吗？（她独自摇着头。）这是不可能的！这徒然会增加了苦痛，我不能够，我愿意让我懒下去……懒下去……（她拿起手提鞄预备走了。）

他　（陪她出了咖啡店的玻璃门。）媚，我相信你的话是不错的。但是……你也应当不忘记我们从前的关系……

她　是的，这已经是够了。譬如我们今天的友谊，就是完全成立在从前的关系的回忆上，甚至以后也是这样。这已经足够了，我们谁也不能希望它更多一点，可不是？

他　（点着头。）是的，我们应该分手了吗？

她　我想应该分手了。

他　我可以来拜访你吗？

她　为什么不可以，倘若你来找密昔司费。

（她一扬手，走了。他呆立在街头。）

三

（刘华德先生一人踱进公园，在幽僻的瀑布边碰到同巷的邻舍，周逸如先生底寡妇。）

她　哈啰！刘先生。

他　哦，周……密昔司周。

她　一个人吗，太太呢？

他　她没有来，咳。（他干咳着。）

她　那么，不是在这里有什么约会吗？

他　不，并不，没有约会。

她　真的吗，我想我应该早一点走开的。这里是最幽静的地方了，不是吗，你说？（她狡狯地微笑着。）

他　（窘乱似的。）不，不必，倘若密昔司周愿意玩一会儿瀑布……（他咳嗽着。）我是偶然的来散步一会儿。

她　（敛了一点戏谑的口吻。）别介意了，说着玩的。

他　（微笑着。）可是密昔司周呢，一个人吗？

她　（攒着眉头。）喔，我明白你要说什么话了，可是，我……（她摇头。）

他　啊，密昔司周，对不起得很。

她　这有什么对不起，这是你太迂腐了哪！即使说我在这里有什么约会，也未尝不可以哪。

他　（有点窘乱。）但是，我并没有那意思，没有，没有。

她　没有就算没有，可不要赌咒。也许，省得彼此疑心有约会，我们大家走开这里也行。在公园里散步，总希望有熟人谈谈，可不是？如果说是约会，那么我就算是约着你，你就算是约了我，也可以说哪。

他　（脸红起来，一直到耳根，看着她，没有话。）

她　怎么啦，刘先生，我说你还有一点孩子气，可不是？难道我不能约你在公园里散步吗？

他　（屈伏似地跟着她走。）是的，密昔司周，我当然只好佩服你的锐利的谈锋。

她　（坐在草坪边的一只长椅上。）你愿意在这里坐一会儿吗？

他　（沉默地坐下在她旁边。）

她　（从手提鞄中取出了一包留兰香糖。）吃糖？

他　谢谢你。（他眼望着远处。）

她　我猜想得出，你现在想着什么。

他　怎么，我？我想着什么呢，你说？

她　（含笑着。）你们的无线电坏了吗？

他　怎么，无线电？是的，坏了……但是……

她　所以我觉得静了好几天了。

他　我很抱歉，它的确让邻舍们都厌烦的。

她　我倒没想到你是这样有礼貌的，嗯？

他　（微笑着摇摇头，表示他底谦逊。同时看着腕上的时计。）

她　但这样可就缺少一点礼貌了，不是吗？

他　（窘乱极了。）啊，对不起，我怕……

她　你怕时候迟了，太太要不高兴吗？

他　不，决不，我怕它会停了，长久没有加油，机件有一点迟钝了。

她　是的，但时候的确是迟了，怕已经有五点钟吧。

他　五点十分。

她　我们可以再散步一回，到五点半同回去不好吗？

他　很好，五点半，可是……也许我不回家去，我得到另外一个地方去吃晚饭。

她　好的，说不定我也不回去。

他　（微露讶意。）密昔司周好像生活得很随便的。

她　是的，我的生活是完全自然的。

他　（点着头。）我很羡慕这样的福气，自然的……

她　福气？（她抿着嘴。）

他　是的，这是一种福气，倘若一个人能够过一种自然的生活，不，我们应当说是适兴的生活。

她　难道你说你的生活……

他　（拦阻了她的话。）无论如何总不能是适兴的生活，有种种的拘束，有种种的责任……

她　那么，你何必结婚呢？

他　那原是一个矛盾。

她　矛盾！（啮着嘴唇。）是的，一个矛盾。

他　（沉默着。）

她　（思索了好久。）其实，这也未必一定是矛盾。譬如，在你的生活里，何尝不可以得到适兴的自由。这也许可以说是你不懂得应当怎样去生活……

他　应当怎样去生活，是的，这是一个问题。但是你无论怎样去解决，总有一个可怕的幻影跟在你背后的，也许，这一点，不是你们太太所能够了解的。

她　你说我不能了解吗？你错了。我完全懂得，而且我明明白白地看得出，因为你是过分地拘谨了，所以你从来不肯去找一种新的生活来躲避那可怕的幻影的。

他　新的生活！什么意思？

（她微笑地凝看着他。也许是由于鞋跟下踏着了一块小石，她向他身旁一踬。他伸出手来扶持着她，于是他们底手相握着了。)

她　那是说各式各样的使生活愉快的玩意儿，无论什么都可以，即使是恋爱！（当他正想松手的时候，她更紧地握了他一下。)

他　（吃惊地。）难道……（他对自己说："但这也许是她结婚以后第一次热情的握手了吧。"一个从来不曾有过的思想在他心里升起来了。)

她　（自动地挽着他底手臂。)

他　但是……

她　（以异样的眼光看着他，默然微笑着。)

他　倘使我……（以胆怯的疑问似的目光看着她。)

她　（拦断了他的说话。）是的，倘使你吃夜饭的约会可以放弃的话，那么，我们到什么地方去吃夜饭呢？

他　（被折服似地。）随便你，什么地方都可以，伟达饭店，麦瑞饭店……

（青年的绅士刘华德先生底手臂遂贴上了周逸如先生底青年的寡妇。)

图书在版编目（CIP）数据

善女人行品 / 施蛰存著. — 北京：中国国际广播出版社，2013.1

（良友文学丛书）

ISBN 978-7-5078-3555-7

Ⅰ. ①善… Ⅱ. ①施… Ⅲ. ①短篇小说－小说集－中国－现代 Ⅳ. ①I246.7

中国版本图书馆CIP数据核字（2012）第265806号

善女人行品

著　　者	施蛰存
责任编辑	张娟平　张淑卫
版式设计	国广设计室
责任校对	徐秀英
出版发行	中国国际广播出版社（83139469　83139489[传真]）
社　　址	北京复兴门外大街2号（国家广电总局内）
	邮编：100866
网　　址	www.chirp.com.cn
经　　销	新华书店
印　　刷	环球印刷（北京）有限公司
开　　本	620×920　1/16
字　　数	86千字
印　　张	11.5
版　　次	2013 年 1 月　北京第一版
印　　次	2013 年 1 月　第一次印刷
书　　号	ISBN 978-7-5078-3555-7/I · 378
定　　价	37.00元

CRI 中国国际广播出版社　欢迎关注本社新浪官方微博　官方网站 www.chirp.cn

人文阅读与收藏·良友文学丛书

(1)	鲁 迅 编译	竖 琴
(2)	何家槐 著	暧 昧
(3)	巴 金 著	雨
(4)	鲁 迅 编译	一天的工作
(5)	张天翼 著	一 年
(6)	篷 子 著	剪影集
(7)	丁 玲 著	母 亲
(8)	老 舍 著	离 婚
(9)	施蛰存 著	善女人行品
(10)	沈从文 著	记丁玲
	沈从文 著	记丁玲续集
(11)	老 舍 著	赶 集
(12)	陈 铨 著	革命的前一幕
(13)	张天翼 著	移 行
(14)	郑振铎 著	欧行日记
(15)	靳 以 著	虫 蚀
(16)	茅 盾 著	话匣子
(17)	巴 金 著	电
(18)	侍 桁 著	参差集
(19)	丰子恺 著	车箱社会
(20)	凌叔华 著	小哥儿俩
(21)	沈起予 著	残 碑
(22)	巴 金 著	雾
(23)	周作人 著	苦竹杂记 （暂缺）